Betty Laube, geboren 1962, lebt als Journalistin und Buchautorin in Frankfurt am Main. Sie ist Mutter zweier Kinder im Alter von 12 und 9 Jahren.

Die in diesem Buch gegebenen Ratschläge sind unverbindliche Empfehlungen und ersetzen im Ernstfall nicht den fachlichen Rat von Ärzten, Handwerkern etc.
Autorin und Verlag übernehmen keinerlei Haftung.

Die Deutsche Bibliothek – CIP-Einheitsaufnahme

Laube, Betty:
Der große Aldidente-Haushaltsratgeber : alles was Sie wissen müssen über: Haushalt – Küche / Betty Laube. - Frankfurt am Main :
Eichborn, 2001
ISBN 3-8218-3696-2

Eichborn AG, Frankfurt am Main
Lektorat: Oliver Thomas Domzalski
Umschlaggestaltung: Irma Schick
Fotos: photodisc (2), stockfood (1)
Satz und Layout: Oliver Schmitt, Mainz
Druck und Bindung: WS Bookwell, Finnland
ISBN 3-8218-3696-2

Verlagsverzeichnis schickt gern:
Eichborn Verlag, Kaiserstr. 66
D – 60329 Frankfurt am Main
Besuchen Sie uns im Internet: www.eichborn.de

Der große Aldidente-Haushaltsratgeber

Alles was Sie wissen müssen über:
Haushalt – Küche – Freizeit – Garten – Gesundheit

Eichborn.

Inhaltsverzeichnis

Vorwort

»Daheim ist es doch am schönsten«, so sagt ein bekannter Spruch. Wäre es sicher – wenn nur die ganzen Missgeschicke und Widrigkeiten nicht wären, die uns im Haushalt, bei der Arbeit und erst recht beim Freizeitvergnügen stets begleiten.

Sie wissen nicht, was ich meine? Hier eine kleine Führung durch das Horrorkabinett, in das sich unser Zuhause verwandeln kann: Bratpfannen sind nach der ersten Unachtsamkeit auf ewig verkohlt, der teure Teppich nach Weihnachten mit Wachs ruiniert, die Seidenbluse hat im Laufe des feuchtfröhlichen Abends mit Freunden Rotweinflecken abbekommen, knarrende Türen zerren an den Nerven der Familie, der Farbpinsel ist bretthart, weil man beim letzten Malern vergessen hat, ihn auszuwaschen, der Grill ist mit einer unangenehmen Fett-Schmier-Schicht bedeckt, Ihr liebevoll im Garten angepflanzter Kopfsalat ist voller Maden, Sie haben Kopfschmerzen und im Badezimmer entdecken Sie eines schönen Tages mit Entsetzen Silberfische. Daheim ist es am schönsten? Na ja …

Als erfahrener Mensch in Sachen Haushalt haben Sie bestimmt so manche Lösung auf Lager: es gibt schließlich chemische Reinigungen, Kaufhäuser mit vielen fabrikneuen Sachen, eine Großpackung Schmerztabletten im Haus, es gibt Handwerker, die man bestellen kann, und wirksame Gifte gegen Ungeziefer. Aber Chemie ist weder gut für unsere Umwelt noch für unseren Körper, neue Dinge sind nicht gerade preiswert und Handwerker meist unbezahlbar. Zum Glück gibt es viele einfache Tricks und Tipps, wie Sie die genannten und viele weitere Problemchen und Probleme im Haushalt lösen können. Denn nicht alles, was schon zu Omas Zeiten bekannt war, ist heute unbrauchbar. Im Gegenteil: Als es noch keine chemischen Reinigungen, keine Pharmaindustrie und keine Wegwerfartikel gab, mussten sich die Menschen im Haushalt mit dem begnügen, was schon vorhanden war oder was die Natur hergab. Diese kleinen Hilfsmittel sind noch heute anwendbar, und fast alle sind in jedem Haushalt vorrätig. Vor allem aber sind sie preiswert. Wie Sie diese Ressourcen nutzen und in Ihre Haushaltsführung einbauen können, soll Ihnen mein Buch verraten.

Ein wichtiger Aspekt meiner Tipps ist der Preisvorteil. Die meisten Reinigungsmittel zum Beispiel kaufe ich bei dem Kultdiscounter *Aldi.* Wie bereits in vielen anderen Büchern aus der Reihe *Aldidente* publik gemacht wurde, bietet *Aldi* hohe Qualität zu niedrigen Preisen. Ob *Geschirrreiniger-Tabs, Fenstertücher, Scheuermilch* oder *Waschmittel* – Haushaltswaren sind bei *Aldi* um einiges billiger, aber ebenso gut wie teure Markenartikel.

Auch *frei verkäufliche Arzneien* und *Tees* sind dort preiswerter. Meine Familie hat beispielsweise einen hohen Verbrauch an *Pfefferminz- und Früchtetee.* Eine Packung Beuteltee kostet in einem anderen Supermarkt oft das drei- bis vierfache. Und meine Eltern haben jahrelang ihren *Ginseng-Saft* für knapp 40,– DM in der Apotheke gekauft. Jetzt holen sie sich dieselbe Menge für knapp 10,– DM bei *Aldi.*

Auch wer bei der Auswahl der Reinigungsmittel an die Gesundheit und an die Umwelt denkt, kann beim Discounter einkaufen. Die »Stiftung Warentest«, die stets auch die Verträglichkeit und Umwelttauglichkeit prüft, hat viele Produkte der *Aldi*-Palette mit den Prädikaten »sehr gut« oder »gut« ausgezeichnet.

Hier nur einige Beispiele aus dem Haushaltsbereich:

- *Caribic*-Duschgels *exotic sensitiv, fresh-aktiv sensitiv* und *Mildreen*
- Pflegeshampoo *Pro-Vitamin B5*
- Geschirrspülmittel *Tempo-ultra*
- Geschirr-Reiniger *Alio compact*
- Tabs für Geschirrspülmaschinen *Alio compact* und *Akuta*
- Allzweckreiniger *Putzmeister* und *Bims*
- Feinwaschmittel *Fee* und *Kür*
- Körperlotionen *Eldena* und *Olana*
- Sonnencreme von *Ombra (LF 12)*

Gehen Sie doch einmal bewusst durch die Regalreihen Ihres Supermarktes: Wie viele solcher Gütesiegel finden Sie auf Ihren gewohnten Markenprodukten? Außerdem ist es ja schon längst bekannt: Viele der großen Produzenten vertreiben Ihre Markenprodukte unter einem anderen Namen auch bei *Aldi*. Auf Qualität müssen Sie bei *Aldi* also (fast) nie verzichten!

Um kleinere Reparaturen oder Reinigungen im Haushalt vorzunehmen, benötige ich nicht immer gleich chemische Hilfsmittel. Salz, Essig, Natron, Talkumpuder und sogar Bier tun es oft auch oder können zumindest erste Hilfe leisten. Für die schweren Fälle habe ich jedoch immer Waschbenzin und Salmiakgeist im Haus. In den ersten beiden Teilen, *Haushalt* und *Küche*, werden Sie sehen und bestaunen, wie man Flecken raus-, Insekten weg-, und Mürbeteig besser vom Blech abbekommt, wie man alte Möbel wieder schön und hart gewordenes Fleisch zart werden lässt. Außerdem lernen Sie meine Kräuterküche kennen.

Wie Sie kleinere Reparaturen zu Hause selbst erledigen können, zeigt Ihnen die kleine Handwerkerschule im dritten Teil: *Freizeit*. Dort finden Sie ebenfalls preiswerte Tipps zum Thema Schönheits- und Computerpflege.

Ein anderer wichtiger Punkt in meiner Haushaltsführung ist die gesunde und ausgewogene Ernährung meiner Familie (Teil 2: *Küche*). Obst und Gemüse, Milch- und Vollkornprodukte und Geflügel kommen häufig auf unseren Tisch.

Aber keine Sorge: Kein Mitglied unserer Familie kann an einem saftigen Steak, einer guten Salami oder einem herzhaften Schinken vorbeigehen. Als meine Kinder noch klein waren, verabscheuten sie jegliches Gemüse und ich habe sie nur an den Tisch bekommen, wenn auf diesem Mettwurst lag. Inzwischen haben sie frische Karotten, Kohlrabi und Gurken schätzen gelernt und schwärmen schon mal von dem ein oder anderen Gericht. Da beide Eltern berufstätig sind, wird oft ein Eintopf für 2 Tage gekocht. Wer es noch nicht weiß: Ein Eintopf wird mit jedem Aufkochen leckerer; das gilt besonders für Kartoffel- oder Kohlgerichte.

Die frischen Sachen kaufe ich bis auf wenige Ausnahmen auf dem Markt oder bei einem Gemüseverkäufer meines Vertrauens. Bei *Aldi* gibt es zwar inzwischen eine breite Palette an frischem Obst und Gemüse, aber leider oft eingeschweißt und in zu großen Mengen. Was ich dort immer kaufe, sind die leckeren Strauchtomaten. Die haben noch einen richtigen Eigengeschmack und sind viel billiger als beim Einzelhändler. Ich achte beim Einkaufen darauf, dass ich Früchte der Saison auswähle und dass sie möglichst aus Deutschland, noch besser aus der unmittelbaren Umgebung kommen. Eine Orientierung, wann welches Gemüse oder welche Obstart Saison hat, gibt Ihnen die Tabelle im Anhang. Rosenkohl schmeckt nun mal im Winter, und Kirschen muss man im Sommer essen, damit sich die Kindheitserinnerungen an den Kirschenklau in Nachbars Garten einstellen. Außerdem ist das Grünzeug frischer, wenn es aus der Nähe kommt. An einer saftigen, roten Wassermelone komme aber auch ich nicht vorbei, auch wenn die kein deutscher Bauer anpflanzen kann.

Da ich das Glück habe, über einen Garten zu verfügen, habe ich mir ein paar Kräuter-, Gemüse- und Obstbeete angelegt. Noch frischer, billiger und leckerer geht es wirklich nicht mehr! Die Grundlagen für die Selbstversorgung mit frischem Obst und Gemüse und wann Sie was in Ihrem Garten anpflanzen und pflegen müssen, finden Sie in den Teilen 2 und 3: *Küche* und *Garten*.

Im fünften Teil, *Gesundheit*, verrate ich Ihnen, wie man mit Hausrezepten aus der Natur, zum Beispiel mit Kräutern, Tees und Ölen seine kleinen Wehwehchen selber behandeln kann. Natürlich sollten Sie bei langwierigen oder ernsthaften Problemen einen Arzt aufsuchen. Aber oft hilft schon eine kleine Kräutermixtur, ein leckerer Tee oder ein Bad in ätherischen Ölen, und Sie können sich den Weg zum Arzt, einen langen Aufenthalt im Wartezimmer und das Einnehmen von Tabletten sparen.

Am Ende eines jeden der vier Teile finden Sie eine Liste der einschlägigen *Aldi*-Produkte, die es nicht ständig zu kaufen gibt, sondern ein- oder mehrmals im Jahr in einer der vielbeachteten Sonderangebots-Aktionen. So können Sie schon mal einplanen, wann Sie sich die Latzhosen für die Gartenarbeit, den Computer oder die Brotbackmaschine holen können. Die Informationen hierzu stammen aus dem »Aldidente-Schnäppchenplaner« und sind mir dankenswerterweise von dessen Autor, Dr. Hagen Rudolph, zur Verfügung gestellt worden.

Einige der Tipps aus Omas Zeiten verlangen »Zutaten«, die ein wenig aus der Mode gekommen und möglicherweise nicht mehr in jedem Haushalt vorhanden sind. Eine Liste im Anhang nennt diese Produkte und die möglichen Bezugsquellen.

Das ausführliche *Register* am Ende des Buchs erleichtert Ihnen die schnelle Suche nach dem rettenden Tipp – denn bei manchem Malheur zählt ja tatsächlich jede Sekunde.

Dieses Büchlein kann nicht vollständig sein. Vielleicht kennen auch Sie wertvolle Haushalts-, Freizeit-, Garten- oder Gesundheitstipps, die die Arbeit erleichtern, und die Sie mir zusenden möchten? Ich würde mich freuen. Denn man lernt ja nie aus im Leben!

Betty Laube, im November 2000

Teil 1: Haushalt

»Das bisschen Haushalt macht sich von allein, sagt mein Mann ...«

118 unbezahlbare Tipps

Am Anfang des 21. Jahrhunderts sollte man eigentlich davon ausgehen, dass dieser Schlager nicht noch einmal getextet werden muss. Inzwischen weiß jeder Mensch, der mal auch nur einen Tag einen Haushalt managen musste, wieviel Arbeit darin steckt. Natürlich werden viele Handgriffe mit der Zeit zur Gewohnheit, und einige Dinge gehen einem schnell von der Hand, aber ohne die kleinen Tricks und Kniffe und die vielen praktischen Helferlein wäre die Hausarbeit überhaupt nicht zu schaffen. Außerdem passieren täglich kleine Missgeschicke und größere Katastrophen, die einen zwingen, sich bei der meist ungeliebten Hausarbeit länger aufzuhalten als nötig.

Die nachfolgenden Tipps und Ratschläge können sowohl erfahrene Haushaltsvorstände als auch Neueinsteiger bei der lästigen Pflege des Haushaltes unterstützen, Pannen vorbeugen und beim Beheben von Katastrophen helfen. Sicherlich kennen viele Leser einen Teil der Tipps schon – aber wenn Ihnen nur drei der nachfolgenden Ratschläge neu sind und künftig viel Zeit, Mühe und Kosten sparen, hat sich die Anschaffung des Buchs ja bereits gelohnt.

Quer durch die Wohnung

1. Hochglanz bei **Gläsern** erreicht man, indem man zum Spülen warmes Wasser mit Soda (erhältlich in Reformhäusern, Drogerien etc.) versetzt. Anschließend die Gläser mit einem Tuch trockenreiben.

2. Trübe **Gläser** werden leuchtend klar, wenn man sie einige Zeit in einer Lösung aus Pottasche und Salmiak stehenlässt.

3. Wenn man eine **Glasschüssel** beim Einfüllen heißer Speisen vor dem Zerspringen schützen will, sollte man sie auf ein Tuch stellen. Die gleiche Wirkung erzielt man mit einem hineingestellten Löffel.

4. Wenn man **Flaschen** luftdicht verschließen will, sollte man den Kork vor dem Eindrücken einige Minuten in Öl tauchen.

5. Man kann **Spülbecken** und **Herdplatten** reinigen, indem man sie mit einer Scheibe Zitrone einreibt und anschließend mit klarem Wasser nachspült.

6. Angebrochene **Limonade**- oder **Bierflaschen** soll man fest verschließen und auf den Kopf stellen. So hält sich die Kohlensäure in der Flasche.

7. **Vasen** und **Flaschen** werden innen sauber, wenn man sie mit Essigwasser füllt und gut durchschüttelt. Bei **Kalkrändern** sollte man extra scharfen Essig verwenden.

8. Um zu verhindern, dass **Salz** im Salzstreuer feucht wird, mischt man einige Reiskörner unter.

9. Wenn **Kakao** frisch bleiben soll, nimmt man ihn aus der Packung und füllt ihn in ein Porzellangefäß mit Deckel.

10. Wenn man vor dem Einfüllen von heißer **Marmelade** die Gläser im Backofen vorwärmt und anschließend auf ein feuchtes Tuch stellt, platzen sie nicht.

11. **Klarspülmittel** im Geschirrspüler? Zitronensäure (5%) ersetzt es, wenn man es denn unbedingt verwenden will. Noch besser ist es, zur Schonung der Umwelt ganz auf den Klarspüler zu verzichten.

12. **Stahlgegenstände** aller Art reinigt man am besten mit Essig.

13. **Alufolie** sollte man nicht zum Abdecken von Servierplatten aus Metall verwenden, denn dabei entstehen chemische Verbindungen, die den Geschmack der Speisen beeinflussen.

14. Wenn man den **Balkon** oder die **Terrasse** fegt, kann man den Boden vorher mit etwas Wasser besprühen. So staubt es beim Fegen nicht.

15. Angetrocknete Speisereste in der **Mikrowelle** entfernt man, indem man eine Tasse Wasser 2 bis 3 Minuten in der Mikrowelle aufkochen lässt. Danach braucht man das Gerät nur auszuwischen.

16. Ein kleiner Parfümzerstäuber eignet sich gut als **Brillenreiniger** für unterwegs. Einfach etwas Glasreiniger einfüllen.

17. **Öl**- und **Essigflaschen** lagert man am besten auf einem Ziegelboden oder auf einigen Ziegelsteinen. Sie sollten immer stehend aufbewahrt werden. **Wein** und **Spirituosen** dagegen werden stets liegend aufbewahrt, so dass der Korken feucht und luftdicht bleibt.

18. Mit unverdünntem **Klarspüler** für die Spülmaschine (s.o., Tipp Nr. 11) lässt sich hartnäckiger Schmutz, der sich auf Küchenschränken abgelagert hat, ganz leicht entfernen.

19. Unansehnliche **Spülbürsten** können auch mit in den Geschirrspüler gesteckt werden.

20. **Thermoskannen** sollte man zum Reinigen über Nacht mit einem TL Geschirrspülmittel und Wasser einweichen. Sie lassen sich am Morgen ganz leicht säubern. Gründlich mit klarem Wasser ausspülen!

21. Braune Flecken in **Thermoskannen** entfernt man, indem man etwas Backpulver mit heißem Wasser auflöst und diese Mischung 2 Stunden einwirken lässt. Anschließend gut nachspülen.

22. **Holzbrettchen**, die fleckig sind oder Gerüche angenommen haben, reinigt man mit Scheuerpulver. Hinterher in Essigwasser spülen, dann mit viel klarem Wasser nachspülen.

23. **Heizkörper** reinigt man, indem man einen Putzlappen um einen Kleiderbügel wickelt. Damit kann man gut den Staub zwischen den Rippen der Heizkörper entfernen.

24. Besonders feingliedrigen **Schmuck** reinigt man am besten, indem man ihn in einer Flasche mit Seifenwasser schwenkt. Der gereinigte Schmuck wird danach in einem mit Sägemehl gefüllten Kästchen trocken geschüttelt. Anschließend behandelt man ihn mit einem Wolltuch oder feinen Bürstchen nach.

25. **Silberbestecke** laufen garantiert nicht an, wenn man ein Stück ganz normale Schulkreide in den Besteckkasten legt.

26. Angelaufenen **Silberschmuck** kann man gut mit Zahnpasta reinigen. Anschließend mit klarem Wasser nachspülen und polieren.

27. Um **Silber** zu reinigen, kann man Alufolie in ein Gefäß legen, kräftig Salz drüberstreuen, Wasser daraufgießen, das Silber auf die Alufolie legen und einen kräftigen Schuss Essig ins Wasser geben. Einige Stunden einwirken lassen. Achtung: Bei größerer Verschmutzung des Silbers empfiehlt es sich, gut zu lüften, außer man mag den Geruch von faulen Eiern, denn bei diesem Vorgang entsteht das stinkende Gas H_2S.

28. **Silber** kann man aber auch ohne faulen Geruch reinigen. Einen Kochtopf mit Alufolie auslegen, Salz und Wasser hinzufügen und aufkochen lassen. Das Silber hinzugeben, anschließend unter kaltem Wasser abspülen und abtrocknen.

29. **Möbelpolitur** kann man sehr gut selbst herstellen: Ein Drittel Terpentin, ein Drittel Leinölfirnis (Farbenfachgeschäft) und ein Drittel Essig gut miteinander mischen. Mit einem weichen Tuch dünn auftragen und mit einem sauberen Lappen nachreiben.

30. **Kunststoffböden** glänzen wieder schön, wenn man sie ab und zu mit einer Mischung von einer halben Tasse Weichspüler auf einen Eimer Wasser aufwischt.

31. Mit einer Mixtur aus Salatöl und reichlich Salz kann man **Wasserflecken auf Möbeln** entfernen. Anschließend gut nachpolieren.

32. Auf **Übertöpfen** bilden sich oft hässliche Wasserflecken. Sie lassen sich ganz einfach mit Zahnpasta entfernen.

33. Bei jedem Wechsel des **Staubsaugerbeutels** geben Sie 2 Esslöffel gut riechendes Badesalz in den neuen Beutel. Das sorgt für gute Luft in der Wohnung.

34. Reinigungsmilch macht nicht nur die Gesichtshaut sauber, sie eignet sich auch zum **Schuhputzen** – ideal auf Reisen.

35. Wenn ein **Glas** zu Boden gefallen ist, fällt es schwer, die feinen Splitterchen aufzunehmen. Mit einem angefeuchteten Wattebausch geht es aber ganz leicht.

36. Schwarze Spuren von Schuhen auf **Parkett** kann man leicht mit Petroleum oder Terpentin wegreiben.

37. **Kleiderbügel** bezieht man an den Enden mit ausrangierten Schulterpolstern, die man mit einem Gummiband befestigt. So entstehen an Stricksachen und anderen empfindlichen Kleidungsstücken keine Zipfel.

38. Sitzen aufeinandergestellte **Gläser** fest ineinander, stellt man das untere in heißes Wasser und gießt in das obere kaltes Wasser.

39. Die heilgebliebenen Deckel zerbrochener Einmachgläser lassen sich gut als **Blumentopf-Untersätze** nutzen.

40. Gebrauchte **Scheren** bekommen neuen Glanz, wenn man eine Masse aus einer kleinen Tasse Kleie und heißem Wasser unter Zusatz von einem EL Salz und 2 EL Essig bereitet, sie damit ordentlich einreibt und mit viel Wasser nachspült.

41. Wenn das Geschirr sehr heiß gespült wird, so dass das Wasser verdunstet, spart man das **Abtrocknen**.

42. Rutschige **Lederabsätze** und **Sohlen** sollte man öfters mit Sandpapier behandeln.

Düfte und Gerüche

43. Wenn ein Baby beim **Spucken** die Kleidung »erwischt« hat, riecht die danach meist unangenehm säuerlich. Erst die Kleidung vom Gröbsten befreien und dann etwas Natron (gibts in jedem Supermarkt bei Backwaren) auf ein feuchtes Tuch geben und nachwischen. Der unangenehme Geruch ist sofort weg.

44. Übelriechende **Ausgüsse** reinigt man, indem man heißes Seifenwasser hindurchgießt. Notfalls mehrmals wiederholen. Oder man gießt eine konzentrierte Salzlösung in den Abfluss, lässt sie einwirken und spült klar nach.

45. Üble Gerüche im **Backofen** verschwinden, wenn man Schalen von Orangen oder Zitronen kurz im Ofen erhitzt.

46. **Farbgeruch** in frisch gestrichenen Räumen beseitigt man, indem man Teller mit wenig Salz in den Räumen verteilt.

47. **Zwiebelgeruch** und andere scharfe Gerüche an den Händen beseitigt man, indem man die Hände mit Zahnpasta einreibt und diese danach abspült.

48. Muffige Gerüche in **Vorratsschränken** lassen sich entfernen, indem man die Schränke mit einer Essiglösung auswäscht und anschließend gut durchlüftet.

49. Den dumpfen Geruch von **Steintöpfen** wird man mit heißem, unverdünnten Essig los.

50. **Aschenbecher** aus Metall reibt man mit Spiritus aus, damit sie nicht stinken.

51. **Holzbrettchen** schützt man vor Zwiebel- oder Fischgeruch, indem man sie vor dem Gebrauch mit kaltem Wasser abspült.

52. **Zwiebelgeruch** an Küchenmessern wird entfernt, indem man das Messer mehrmals durch eine Mohrrübe zieht.

53. In Zimmern, in denen geraucht wird, bleibt der kalte **Qualm** oft in den Tapeten und Gardinen zurück. Legt man aber abends ein in Essigwasser getränktes Tuch auf den Heizkörper, verschwindet der üble Geruch über Nacht.

54. **Mülleimer** nach dem Leeren immer mit Essigwasser auswischen.

55. **Kohlduft** in der Küche verhindert man, wenn man einen Brotkanten oder einige Walnusshälften mitkocht. Dadurch wird der aufsteigende Kohlgeruch, der sonst das ganze Haus durchzieht, aufgesogen.

56. **Kühlschrankgerüche** vertreibt man, indem man einen kleinen Teller mit Kaffeepulver in den Kühlschrank stellt.

57. **Flaschen**, die stark riechende Flüssigkeiten enthielten, spült man mit in Wasser gelöstem Senfmehl gut aus.

58. Unangenehmen **Fischgeruch** verhindert man, indem man ein Stück Ingwer mitkocht.

59. **Blumenwasser** riecht sehr unangenehm, wenn die Stiele faulen. Abhilfe schafft ein Stückchen Holzkohle, einfach mit in die Vase gelegt.

60. **Essendunst** in der Küche und anderen Räumen ist leicht zu beseitigen, wenn in eine Schüssel heißes Wasser 2–3 Tropfen Lavendelöl geträufelt werden.

61. Die unvermeidlichen **Düfte im WC** kann man im Keim ersticken, wenn man direkt nach der Verrichtung ein Streichholz entzündet. Außerdem natürlich: Möglichst schnell spülen, und danach 2 Minuten Stoßlüftung mit weit geöffnetem Fenster.

Ein Dauerbrenner: Töpfe und Pfannen

62. Eine Pfanne, in der **Fisch** gebraten wurde, anschließend mit Essig reinigen. So lässt sie sich wieder für andere Gerichte verwenden.

63. Um **beschichtete** Pfannen bei der Lagerung zu schützen, legt man beim Stapeln eine Papierserviette oder Küchenkrepp dazwischen.

64. **Angebrannte** Töpfe mit einer kräftigen Salzlösung aufkochen und stehen lassen. Nach 2 Stunden kann man den Topf gut reinigen.

65. Wenn es schneller gehen muss: **Angebrannte** Töpfe werden ohne Schrubben sauber, wenn man sie mit einem Esslöffel Spülmaschinenreiniger auskocht. Der Reiniger schäumt nicht beim Kochen.

66. **Edelstahltöpfe** werden innen wieder blitzblank, wenn man Spinat darin kocht. Spinat enthält Oxalsäure und wirkt wie ein Poliermittel.

67. Außen werden **Edelstahltöpfe** schön blank, wenn man sie mit einem in Essig getränkten Tuch abreibt.

68. **Kuchenbleche** reinigt man im heißen Zustand mit Papier und Salz. Anschließend reibt man mit Öl nach.

69. Kuchenbleche mit **Rostflecken** reibt man mit Salz ein, erhitzt sie im Ofen zehn Minuten auf höchster Stufe und reibt sie nach dem Abkühlen mit Zeitungspapier ab. Anschließend reibt man sie mit Öl ein.

70. **Angebrannte** Ofen- und Kuchenbleche mit Backpulver einstreuen und über Nacht einwirken lassen. Am nächsten Morgen abreiben und mit einem sauberen Tuch nachputzen.

71. Bei stark **angebrannten** Töpfen schwenkt man den Topf mit heißem Wasser aus und bedeckt anschließend den Boden mit einer dünnen Schicht Salatöl. Zwei Tage stehen lassen, danach lässt sich das Angebrannte leicht lösen.

72. Bevor man **Milch** erhitzt, ist es ratsam, den Topf mit kaltem Wasser auszuspülen. Das verhindert den Belag im Topf.

Waschen und reinigen

73. Stark verschmutzte oder vergilbte **Gardinen** lässt man über Nacht im Einweichbad in der Maschine locker schwimmen, am nächsten Morgen gibt man eine Handvoll Salz zum Waschmittel und wäscht wie gewohnt weiter.

74. Ist die **Bügelwäsche** zu trocken, gibt man sie zusammen mit zwei feuchten Handtüchern in einen Wäschetrockner. Diesen lässt man einige Minuten ohne Hitze laufen, bis die Wäsche gleichmäßig feucht ist.

75. Damit die **Socken** beim Waschen wieder richtig weiß werden, fügt man dem Waschwasser eine Scheibe Zitrone bei.

76. Man kann versuchen, falsch gewaschene **Wolltextilien** wieder in die alte Form zu bringen, indem man sie in lauwarmem Wasser einweicht, dem ein gutes Haarshampoo beigegeben wird.

77. Wenn die **Waschmaschine** überschäumt, sollte man Salz auf den Schaum streuen.

78. **Seide**, die sich als nicht farbecht erweist, kann man farbecht machen, indem man sie in Essigwasser wäscht, dem einige Efeublätter beigegeben sind. Dann in Salzwasser nachspülen.

79. Schmutzige **Legosteine** kann man in einen Kopfkissenbezug stecken und im Schonwaschgang bei 30 °C ohne Schleudern in der Waschmaschine waschen.

80. **Fusseln** auf schwarzen Kleidungsstücken entfernt man mit einer alten Strumpfhose aus Nylon: Einfach die Strumpfhose zusammenknüllen und Strich für Strich über die verfusselten Kleidungsstücke reiben.

81 Wenn Sie **Kleidungsstücke selbst färben,** sollte man die Textilien vor der ersten Wäsche eine Nacht in Milch einweichen. Sie werden dann farbecht.

82. **Wolle** bleibt schön weich, wenn Waschwasser und Spülwasser dieselbe Temperatur haben.

83. Kefir eignet sich gut, um damit **Stockflecken** aus der Wäsche auszureiben. Wäsche erst einweichen, die Flecken ausreiben und danach gut ausspülen.

84. **Spitzen** und **Stickereien** immer in einem geschlossenen Bezug waschen.

85. Will man sicher sein, dass **Wollsachen** nicht einlaufen, gibt man Glyzerin (einen Esslöffel auf zehn Liter Wasser) ins Waschwasser. Selbst Angorawolle wird wieder flauschig und weich, wenn man das Glyzerin ins letzte Spülwasser gibt.

86. Das **Bügeleisen** kann man sehr gut mit Backofenspray reinigen, wenn man es auf die noch handwarme Fläche sprüht. Danach poliert man kurz nach.

87. Wenn das Bügeleisen verklebt ist, dann wickelt man einen Kerzenstummel in ein Tuch. Damit streicht man einige Male über das heiße Bügeleisen.

88. Wenn beim Bügeln leichte **Sengflecken** auftreten, empfiehlt es sich, die Flecken mit Essig auszureiben und anschließen mit viel Wasser nachzuspülen.

89. Ein stumpfes **Bügeleisen** stellt man, ohne es aufzuheizen, auf ein mit Essig getränktes Tuch. Es wird vollkommen sauber.

90. Wäschesymbole

Waschen:

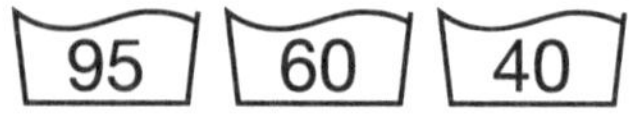

Normal waschen. Die Zahl bedeutet die maximale Waschtemperatur.

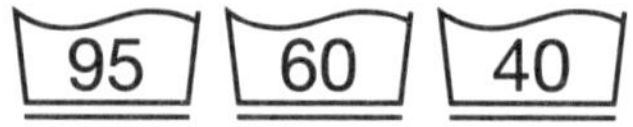

Nur im Schonwaschgang waschen. Die Zahl bedeutet die maximale Waschtemperatur.

Nur kalt waschen.

Nur Handwäsche.

Nicht waschen.

Bügeln:

Nicht Bügeln.

Nicht heiß Bügeln.

Mäßig heiß Bügeln.

Heiß Bügeln.

Maschinelle Wäschetrocknung:

Nicht trocknen.

Schonende Trocknung.

Normale Trocknung.

Chemische Reinigung:

Normalreinigung:
Die Buchstaben für die chemische Reinigung weisen auf bestimmte Reinigungsverfahren und Lösungsmittel hin.

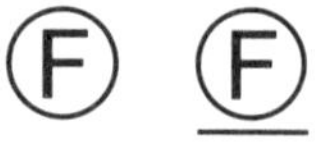

Spezialreinigung:
siehe oben

Chemische Reinigung nicht möglich.

Chloren:

Chlorbleiche möglich.

Nicht chloren

Fenster, Glas und Spiegel

91. **Fensterscheiben** kann man, wenn sie beim Putzen verschmieren, mit kaltem schwarzem Tee einreiben. Sie blitzen anschließend wieder wie neu und haben keine Streifen mehr.

92. **Milchglasfenster** putzt man am besten mit Essigwasser. Anschließend reibt man sie trocken nach.

93. **Spiegel** reinigt man mit einem in Kampfer getauchten Flanell-Lappen, oder mit lauwarmem Wasser, dem etwas Salmiak beigemischt wurde.

94. Es ist nicht nötig, teure **Fensterputzmittel** zu kaufen. Wenn man in ein Liter Wasser etwas Spülmittel, einige Spritzer Spiritus und ein wenig Essig gibt, hat man ein gleichwertiges Putzmittel.

95. Fensterbänke und Kacheln aus **Marmor** reibt man mit Babyöl ein und poliert sie anschließend blank. Wassertropfen perlen danach ab.

96. **Brillengläser** laufen nicht an, wenn man sie mit etwas Glyzerin und Schmierseife einreibt und dann mit dem Lederlappen blank putzt. Auch Autofenster können so behandelt werden.

97. Wenn man mit einer alten Feinstrumpfhose über die schon trockenen Flächen reibt, dann verschwinden **Putzstreifen** an Fenstern und Spiegeln.

98. **Kristall und Glas** werden wesentlich klarer beim Waschen, wenn man etwas Borax ins Wasser tut.

99. Fenster kann man auch gut mit **Zeitungspapier** polieren. Es ist das beste Mittel, um Putzstreifen zu vermeiden.

WC und Bad

100. Wenn man die **Glastüren** in den Duschen mit einem in Essig getauchten Lappen abwischt, werden sie nicht milchig.

101. **Waschbecken** kann man gut mit Shampoo reinigen. Sie glänzen dann schön.

102. Ein sehr billiges und umweltfreundliches Reinigungsmittel ist **Schmierseife**. Diese kann man zum Putzen für Keramikfliesen, für Kunststoffmöbel, aber auch für Holzfußböden nutzen.

103. **Cola-Reste** ins WC gegossen machen das Klo supersauber.

104. Die **Badewanne** wird nicht stumpf, wenn man sie mit einer Mischung aus Buttermilch, Essig und Salzwasser reinigt.

105. **Badewannen** lassen sich auch mit der Innenseite einer Apfelsinenschale sehr gut reinigen.

106. **Abflussrohre** reinigt man umweltfreundlich und effektiv mit kochendheißem Wasser, in dem zuvor Kartoffeln gekocht wurden.

107. Tropfende **Wasserhähne** verursachen hässliche Beläge. Diese kann man mit Essig begießen, der einige Stunden einwirken muss, oder aber man streut Salz auf die Beläge und reibt mit einem in heißem Essig getränkten Lappen hinterher.

108. Eine Mixtur aus Borax und Essig beseitigt **Rostflecken in der Wanne**.

109. Stockflecken am **Duschvorhang** entfernt man mit Natron, Zitronensaft oder Essig.

110. Nach der Reinigung von **Fliesen** kann man sie mit Autowachs einreiben und anschließend polieren. Wasserflecken lassen sich dann supereinfach wegwischen.

111. Wenn sie sich selber die **Haare färben**, sollten sie vor der Prozedur das Waschbecken mit Geschirrspülmittel einreiben. Dadurch entstehen keine hässlichen Farbflecken.

112. Mit **weißer Kreidefarbe** kann man den Schmutz in den Fugen bekämpfen; sie lässt sie wieder weiß werden.

113. Zum Reinigen von **Fliesen** einen Brei aus Backpulver und Wasser mischen und damit die Fugen bestreichen. Anschließend einige Minuten einwirken lassen und dann gründlich abspülen.

114. Ein umweltfreundliches Reinigungsmittel für das **WC** ist Backpulver. Einfach einige Zeit einwirken lassen und nachspülen.

115. Getrocknete Seifenreste eignen sich prima als **Schneiderkreide**.

116. Wenn man Seifenreste zusammen mit etwas Wasser in ein Schraubglas gibt, entsteht nach einiger Zeit eine gute **Seifenlauge** für die Feinwäsche.

117. **Essigessenz** kann folgendermaßen verwendet werden:
- als WC-Reiniger – unverdünnt ins WC schütten und einwirken lassen
- zum Fensterputzen einfach ins Putzwasser schütten
- zum Putzen verkalkter Waschbecken und Wasserhähne: Kalkbeläge auf Armaturen mit purer Essigessenz entfernen, danach abspülen und polieren

118. Stülpen Sie Nylonstrümpfe (z. B. Kniestrümpfe) über **Waschmaschinenabflüsse** und binden Sie sie fest. Große Rückstände können Sie so leicht beseitigen, und sie entgehen einer Verstopfung der Abflussrohre.

»Oh Schreck, oh Schreck, der Fleck muss weg!«

Die Trickkiste für »hoffnungslose Fälle«

Oh Schreck – ein Fleck! Die kleine Tochter wollte doch nur schnell ein Glas Schokolade trinken, und schon ist es passiert: die Schokolade breitet sich auf ihrem schönen neuen Kleid aus. Oder beim Braten sind Fettflecken an die Tapete gelangt; oder beim Auspusten des Kerzenleuchters haben sich Wachsspritzer gleichmäßig über die Damasttischdecke verteilt.

Damit Sie sich erst gar nicht lange ärgern müssen und ratlos vor dem Malheur stehen, finden Sie hier die besten Tricks zur Reinigung und Pflege von schier hoffnungslosen Fällen.

Doch Achtung: Nicht gleich an der sichtbarsten Stelle des guten Stücks loslegen! Bei der Fleckentfernung gilt es eine wichtige Regel zu beachten: Einige Stoffe sind gegen Chemikalien und bestimmte Hausmittel empfindlich. Deshalb sollte man immer an einer nicht sichtbaren Stelle eine »Echtheitsprobe« machen. Im Übrigen gilt: je frischer der Fleck, desto größer die Möglichkeit, ihn restlos zu entfernen.

A

Alkoholflecken sollte man immer sofort behandeln. Am besten mit einer Mischung aus kaltem Wasser und Glyzerin einweichen und mit Essigwasser nachspülen.

Ananasflecken bekommt man aus Seidengewebe, indem man den Stoff befeuchtet und anschließend mit Gallseife auswäscht.

Apfelsinenflecken weicht man mit etwas Glyzerin ein und spült mit lauwarmem Wasser nach.

Arzneiflecken wäscht man nur mit kaltem Wasser aus.

Aufkleber kann man am besten entfernen, wenn man sie mit einem Fön erwärmt. Sie lassen sich dann einfach abziehen.

B

Bierflecken noch frisch mit warmem Wasser auswaschen oder mit einem Erfrischungstuch ausreiben. Danach kann man die Wäsche normal waschen. Wenn die Flecken eingetrocknet sind, lassen Sie sich mit Spiritus rausreiben; anschließend die Wäschestücke normal waschen.

Blaubeerflecken behandelt man, indem man die Wäsche längere Zeit in Borax-Seifenwasser liegen lässt, dann wäscht man sie aus. Blaubeerflecken an den Händen werden mit Zitronensaft entfernt.

Den **Blaubeer-Mund** und die blauen Zähne reinigt man mit Zitronensaft.

Blutflecken in Seidenstoffen werden mit Spiritus entfernt. Blutflecken in allen anderen Stoffen entfernt man, indem man die Wäsche gut einweicht und anschließend mit starker Sodalösung oder Kalkwasser auswäscht. Die Wäsche sollte man gut lauwarm nachspülen.
Blutflecken aus Polstermöbeln entfernt man, indem man Kartoffelstärke mit etwas Wasser verrührt und diese Paste auf den Blutfleck streicht, verreibt, und dann mit Salzwasser auswäscht. Einen Versuch ist es auch wert, Gall- oder Schmierseife zu benutzen. Generell die Flecken nur mit abgekochtem Wasser behandeln.

Bowlenflecken entfernt man mit warmer Seifenlauge. Für nicht waschbare Stoffe eignet sich verdünnter Salmiakgeist.

Brandflecken in der Wäsche betupft man mit einer Lösung aus 1 Teil Chlorkalk und 9 Teilen Wasser auf einen Wattebausch gegeben. Die Chlorkalklösung in heißem Wasser gut wieder auswaschen! Die natürlichere Methode ist, den Saft einer Zwiebel ca. 12 Stunden einwirken zu lassen und dann den Fleck mit lauwarmem Wasser abzureiben.

Bügelflecken verschwinden, wenn man sie leicht mit Essig einreibt.

C

Cognacflecken schnell mit warmem Wasser auswaschen oder mit einem Erfrischungstuch ausreiben. Danach kann man die Textilien normal waschen.

Colaflecken werden ebenso behandelt wie Cognacflecken (siehe dort).

D

Druckerschwärze entfernt man wie Farbbandflecken (siehe dort)

E

Eierflecken auf silbernen Löffeln werden mit angefeuchtetem Salz entfernt. Danach sehr gut nachspülen.

Eigelbflecken, die sehr schnell eintrocknen, werden zuerst in Glyzerin eingeweicht, dann in lauwarmem Seifenspiritus ausgewaschen. Anschließend reibt man mit feuchtem Salz nach.

Eiweißflecken kann man mit abgekochtem Wasser ausreiben.

Erdbeerflecken in Textilien entfernt man, wenn sie ganz frisch sind, mit einer Boraxlösung. Bei hartnäckigen Flecken gibt man der Boraxlösung noch ein wenig Salmiakgeist zu.

F

Farbbandflecken in Textilien behandelt man mit Zahncreme, die Natriumfluorid enthält. Dafür den Fleck mit Wasser anfeuchten, mit der Zahncreme bestreichen, verreiben, kurz einwirken lassen, danach reibend ausspülen. Anschließend den Fleck noch mal von beiden Seiten bestreichen, die Zahncreme ca. 10 Minuten einwirken lassen und wieder ausspülen. Jetzt kann der Stoff normal mit einem Feinwaschmittel gewaschen werden.

Farbflecken auf dem Fußboden bekommt man mit verdünntem Essig leicht wieder weg.

Frische **Fettflecken** lassen sich aus Kleidungsstücken entfernen, wenn man sie vor dem Waschen mit flüssigem Geschirrspülmittel einreibt und es kurz einziehen lässt. Oder man reibt die Flecken sofort mit Kartoffelstärke ein, lässt das Ganze einige Stunden einwirken und bürstet das Mehl anschließend wieder aus.

Eingetrocknete Fettflecken behandelt man mit einem einfachen und schnellwirkenden Mittel: »*Pfeifenerde*« kann man in der Drogerie kaufen. Damit wird der Fleck vollständig bedeckt. Der Fettfleck verschwindet, wenn Sie nach 5 Minuten die Pfeifenerde mit einem reinen Tuch wegreiben.

Fettflecken auf **Fotos** kann man entfernen, indem man einen Wattebausch mit Spiritus anfeuchtet und ganz leicht über das Foto wischt.

Fettflecken auf **Krawatten** entfernt man, indem man Talkumpuder mit einer Messerspitze aufdrückt und einziehen lässt. Später ausbürsten oder vorsichtig mit einem Wattebausch ausreiben.

Fettflecken auf **Leder** lassen sich mit geschlagenem Eiweiß entfernen.

Fettflecken auf **braunen Schuhen** reibt man mit heißem Wasser aus, in dem Hirschhornsalz gelöst ist.

Fettflecken auf **Seide** oder anderen empfindlichen Stoffen entfernt man sofort durch Ausreiben mit Kartoffelmehl und Benzin.

Fettflecken in **derberen Stoffen** werden mit einer Salmiaklösung ausgerieben.

Fettflecken auf **Tapeten** kann man mit Löschpapier ausbügeln. Bei größeren Flächen werden die Flecken mit Schulkreide dick, aber vorsichtig eingerieben. 24 Stunden einwirken lassen und dann mit einem weichen Pinsel abstauben.

Fettflecken und Schmutz auf **Veloursleder** entfernt man, indem man weiße Kreidefarbe über Nacht auf die betroffenen Stellen streicht. Am nächsten Morgen kann der Fleck ausgebürstet werden.

Fettflecken in **Wollgeweben** lassen sich mit Mineralwasser entfernen.

Flecken auf hellen Lederschuhen entfernt man so: Die Schuhe reibt man von Zeit zu Zeit mit Zitronensaft ab. Die Flecken verschwinden und die helle Farbe bleibt gut erhalten. Nachher mit feiner Creme nachfetten.

G

Gemüseflecken beträufelt man mit Salmiakgeist und übergießt sie dann mit kochendem Wasser.

Grasflecken werden zuerst mit etwas Butter eingerieben, dann mit Seife und kochendem Wasser herausgewaschen. Variante: Man wäscht die Flecken mit Geschirrspülmittel aus und betupft sie notfalls mit Alkohol oder Spiritus.

H

Harzflecken reibt man mit Wasser und Terpentinöl ein, legt ein Löschblatt darüber und bügelt die Flecken aus.
Harzflecken an den **Händen** bekommt man weg, wenn man sie mit Butter oder Margarine einreibt.

Honigflecken kann man mit warmem Wasser auswaschen.

J

Jodflecken entfernt man aus der Wäsche mit einer Lösung von übermangansaurem Kali, anschließend mit Essig, dann mit Wasser gut nachwaschen.

Jodflecken an den Händen entfernt man mit Salmiakgeist.

Joghurtflecken kann man ganz einfach abbürsten, wenn der Joghurt angetrocknet ist.

K

Kaffee- und Schokoladeflecken in Tischtüchern entfernt man, indem die Wäsche erst eingeweicht und dann mit verdünntem Glyzerin ausgewaschen wird. Besonders hartnäckige Flecken entfernt man mit Salmiakgeist. Vorher etwas einweichen, anschließend gut nachspülen.

Baby- oder Kindersachen mit **Karottenflecken** sollten nach dem Waschen zum Trocknen in die pralle Sonne gelegt werden, sodaß die bräunlichen Flecken fast vollständig ausbleichen.

Kaugummi auf der Kleidung entfernt man so: Man presst einen Eiswürfel auf den Kaugummi, bis er brüchig wird und sich leicht ablösen lässt. Die Restflecken mit Fleckenwasser entfernen.

Kerzenwachs auf Tischplatten sollte man nicht abkratzen. Stattdessen nimmt man einen Fön und bläst, bis das Wachs weich ist. Danach werden die Reste mit Zewa- oder Papiertüchern entfernt. Nun kann man mit Essigwasser nachwischen und polieren.

Kirsch-, Himbeer- und Fruchtsaft-Flecken werden, solange sie noch frisch sind, mit Zitronensaft eingerieben und anschließend ausgewaschen.

Preisschilder, die auf Textilien kleben, kann man so entfernen: Man erwärmt sie so lange mit dem Fön, bis man sie mühelos und ohne Kleberückstand abziehen kann.

Klebstoffflecken entfernt man mit Aceton (Bestandteil des Nagellackentferners). Anschließend die Wäsche normal waschen. Nicht bei Textilien aus Acetat anwenden! Feuergefahr!

Kohlepapierflecken entfernt man genau wie Farbbandflecken (s. dort).

Kopier- und Tintenstiftflecken betupft man mit Spiritus.

Kugelschreiberflecken auf Holz behandelt man mit Essigessenz oder natriumfluoridhaltiger Zahnpasta.

Kugelschreiberflecken auf der Kleidung sollte man vor dem Waschen mit Haarspray einsprühen.

Kugelschreiberflecken auf **Kunststoffen** (Wachstuch, Linoleum etc.) feuchtet man an, besprüht sie mit Haarspray, lässt es kurz einwirken und wischt es dann weg. Funktioniert nur, wenn man nicht vorher schon zu heftig am Fleck herumgewischt hat.

L

Likörflecken behandelt man, indem man sie mit verdünntem Spiritus ausreibt und den Rückstand mit Wasserstoffperoxyd und etwas Salmiakgeist-Zusatz entfernt.

Likörflecken bürstet man mit Feinwaschmittelschaum aus und spült mit klarem Wasser nach. Wenn die Flecken noch frisch sind, kann man sie auch mit warmem Wasser auswaschen oder mit einem Erfrischungstuch ausreiben. Danach normal waschen.

Frische **Limonadenflecken** mit warmem Wasser auswaschen oder mit einem Erfrischungstuch ausreiben. Danach sollte die Wäsche ganz normal gewaschen werden.

Lippenstift auf Gläsern lässt sich beim Hand-Spülen schwer entfernen. Leichter geht es, wenn man die Spuren vorher mit Salz abreibt.

Lippenstiftflecken in weißen Geweben reibt man mit Glyzerin ein und wäscht sie anschließend gründlich aus.

M

Make-up, Bräunungscreme oder auch **Sonnencremes** hinterlassen oftmals unansehnliche Flecken am Kragen. Bei Baumwoll- oder Leinentextilien empfiehlt es sich, diese in Javelle-Wasser aus der Drogerie nach Anleitung zu reinigen und danach das Kleidungsstück noch einmal gründlich auszuwaschen.

Marmorflecken lassen sich ganz leicht mit den Schnittflächen einer durchgeschnittenen Zitrone abreiben.

Milch- und Saucenflecken entfernt verdünnter Seifenspiritus oder heißes, abgekochtes Wasser mit reichlich Salmiak-Zusatz.

Mostrichflecken werden in warmem Sodawasser ausgewaschen.

N

Nagellackflecken auf Kleidern lassen sich mit Nagellackentferner entfernen. Vorher am Sauminneren ausprobieren, ob der Stoff den Bestandteil Aceton verträgt

Nikotin- und Teerflecken auf Porzellan kann man mit einem Korken entfernen, den man in Salz getaucht hat. Einfach mit dem Korken über die Flecken reiben.

Nikotinflecken an den **Fingern** lassen sich mit Zitronensaft oder Essig und einem Bimsstein abreiben.

Nußschalenflecken kann man in warmem Wasser einweichen und mit heißem Essig auswaschen.

O

Schwer zu entfernende **Obst- und Saftflecken** behandelt man mit Wasserstoffperoxid gemischt mit etwas Salmiakgeist.

Obstflecken an den **Händen** kann man beim Entsteinen verhindern, indem man die Hände vorher mit Margarine einreibt.

Obstflecken in **farbechten Stoffen** verschwinden durch Übergießen mit kochendheißer, verdünnter Essig-Essenz, oder man beträufelt die Flecken mit Essigsäure, Zitronensäure oder mit Salmiakgeist und übergießt sie dann mit kochendem Wasser.

Ölfarbflecken an Kleidern kann man, solange sie frisch sind, durch Betupfen mit Benzin entfernen. Flecken, die schon eingetrocknet sind, kann man durch mehrmaliges Behandeln mit einem Gemisch aus 2 Teilen Salmiakgeist und 1 Teil Terpentinöl behandeln.

P

Parfümflecken sind besonders hartnäckig und schwer zu entfernen. Wichtig hierbei ist schnelles Handeln. Je länger Parfümflecken unbehandelt bleiben, desto geringer wird die Chance, sie zu entfernen. Handelt es sich um frische Flecken, versuchen Sie es mit Waschbenzin. Vorsicht! Bei bunten Textilien entsteht durch diese Art der Fleckenbehandlung oftmals zusätzlich ein Bleichfleck, deshalb hier nur schnell mit warmem Wasser ausspülen.

Petroleum-Flecken bestreicht man mit einem Brei aus Benzin und weißer Kreidefarbe und bürstet diesen nach vollständigem Trocknen aus.

Pfirsichflecken verschwinden, wenn man sie mit etwas Glyzerin einreibt und nach einigen Stunden mit Feinwaschpulver auswäscht.

R

Rostflecken kann man mit heißem Zitronenwasser entfernen. Nach der Behandlung muss kräftig nachgespült werden.

Rotweinflecken werden, wenn sie noch frisch sind, mit viel Salz bestreut und später ausgewaschen. Wenn sie schon älter sind, werden sie mit Schmierseife eingerieben, warm ausgewaschen, mit verdünntem Wasserstoffperoxyd nachgerieben und anschließend in sauberem Wasser nachgespült. Eine verblüffende Reinigungswirkung erzielt man bei Teppichböden manchmal, indem man auf den Rotweinfleck Weißwein schüttet.

Rußflecken soll man nie feucht auswaschen, sondern dick mit Salz bestreuen, etwas warten und dann ausbürsten! Rußflecken auf hellen Teppichen kann man mit Rasierschaum oder sanft mit einem Wattebausch abreiben, wobei der Wattebausch öfters erneuert werden muß.

S

Saftflecken auf Tischdecken entfernt man leicht, indem man kochendes Wasser aus ziemlicher Höhe in dünnem Strahl über den Fleck gießt.

Salzränder an Schuhen entfernt man, indem man sie mit einer Zwiebel oder mit einer Zitrone einreibt.

Schokoladenflecken sollte man mit etwas Feinwaschmittelschaum und einer weichen Bürste einbürsten und mit klarem Wasser ausspülen. Mit weichem Stoff nachreiben.

Schuhputzflecken werden mit Terpentinöl beseitigt.

Schweißflecken aus bunten Stoffen werden mit Essigwasser ausgewaschen. Schweißflecken aus **weißen Stoffen** entfernt man mit einer Mischung aus gleichen Teilen Salmiakgeist und Alkohol.

Schweißränder in **Baumwolle und Leinen:** Zwei Esslöffel Salz, während des Waschgangs als Zugabe in die Trommel gegeben, lassen hässliche Schweißränder im Nu verschwinden.

Sektflecken müssen noch frisch mit warmem Wasser ausgewaschen oder mit einem Erfrischungstuch ausgerieben werden.

Sengflecken vom Bügeln verschwinden schnell, wenn man sie mit reinem Zwiebelsaft einreibt und sorgfältig mit kaltem Wasser nachwäscht.

Frische **Sirupflecken** können mit warmem Wasser ausgewaschen oder mit einem Erfrischungstuch ausgerieben werden.

Stärkeflecken schnell mit warmem Wasser auswaschen oder mit einem Erfrischungstuch ausreiben.

Stockflecken auf Textilien entfernt man in besonders hartnäckigen Fällen durch mehrmaliges Betupfen mit verdünntem Salmiakgeist.

Stockflecken an **Duschvorhängen** entfernt man, indem man die Duschvorhänge nach dem Abwaschen in Salzwasser taucht und sie gut trocknen lässt.

Stockflecken auf **Fliesenfugen** entfernt man, indem man einen gehäuften Esslöffel Salz in ¼ Liter Wasser auflöst und in einem Topf auf dem Herd erhitzt. Mit dieser Lösung und einer alten Hand- oder Zahnbürste immer wieder die Fugen bürsten.

T

Teeflecken kann man in warmem Wasser mit Glyzerin-Zusatz oder mit Terpentin auswaschen. Tee in weißen oder farbigen Stoffen wird mit Eigelb bedeckt und nach einigen Stunden mit Wasser warm ausgewaschen.

Teerflecken an den Händen kann man mit Babyöltüchern entfernen.

Tintenflecken mit Leitungswasserstrahl ausschwemmen, dann mit Zitrone den Fleck ausreiben und mit klarem Wasser nachspülen.

Tintenflecken **in bunten Stoffen** mit ungekochter Milch betupfen und mit einem saugfähigen Küchenkrepp überbügeln, wobei das Küchentuch öfters erneuert werden muß.

W

Wachsflecken werden zunächst so weit wie möglich von den Textilien gelöst, dann zwischen weiße Löschpapiere gelegt und je nach Verträglichkeit heiß ausgebügelt.

Wachsflecken auf **Wildleder** entfernt man, indem man die Wachsflecken leicht abkratzt, mit Löschpapier bügelt und anschließend leicht ausbürstet.

Wachstropfen auf **Metallgegenständen** lassen sich spurlos entfernen, wenn man den Gegenstand ca. eine Stunde im Gefrierfach aufbewahrt.

Wandfarbe entfernt man aus Kleidungsstücken, indem man die Flecken vorher mit Tapetenlöser aufweicht. Lackfarben weicht man mit Terpentin auf.

Frische **Weinflecken** mit warmem Wasser auswaschen oder durch Eintauchen in Essig entfernen.

Z

Zuckerflecken muss man mit abgekochtem lauwarmen Wasser bis zum Verschwinden ausreiben.

Der Kampf gegen Motten & Co.

Ein K.O.-Sieg über Ungeziefer und Schädlinge in 22 Runden

In den Regalen der Kaufhäuser, Drogeriemärkte und Gartenfachgeschäfte stapelt sich eine riesige Auswahl an verschiedenen chemischen Mitteln gegen Hausungeziefer aller Art: Rattenköder neben Schabenfallen und Fliegenstrips neben Ameisensprays.

Silberfische im Bad, Milben in Bett, Motten im Kleiderschrank und Schaben im Vorratsraum sind auch in unserer modernen und hygienebewußten Zeit noch nicht verschwunden. Auch Teppichkäfer, Ameisen, Wanzen und sogar Mäuse und Ratten sind noch unter uns. Dennoch möchte keiner so gern über das Thema Ungeziefer reden, wird es doch mit Unreinlichkeit und mangelnder Hygiene in Zusammenhang gebracht. Doch so ist es nicht! Ungeziefer tritt fast in jedem Haushalt auf und hat die verschiedensten Ursache, wie bauliche Mängel, ungünstige Vorratshaltung, Tierhaltung und auch mangelnde Müllbeseitigung.

Nur wenn es unbedingt nötig ist, sollte man zu chemischen »Keulen« greifen. Sinnvoller ist es, herauszufinden, wo die Quelle ist und die Nester auf umweltfreundliche Art zu beseitigen. Mit meinen Tipps und Tricks erzielen Sie garantiert einen sauberen K.O.-Sieg über das Ungeziefer in Ihrem Haushalt.

1. Ameisen

- Man stellt gezuckertes, schales Bier in flachen Tellern auf. Die Ameisen werden angelockt und verenden in der Flüssigkeit.
- Andere Ameisen-Köder sind Honigwasser, Himbeerwasser, verdünnter süßer Likör oder Sirup.
- Den Schlupfwinkel der Ameisen kräftig mit etwas in Wasser gelöster Backhefe durchnässen.
- Ameisen kriechen die Wände nicht hoch, wenn man an den Scheuerleisten entlang weiße Kreidefarbe verstreicht oder einen dicken Kreidestrich zieht.
- Man stellt eine kleine Schüssel oder eine Untertasse mit einer Mischung aus zwei Teilen Honig und einem Teil Hefe auf. Die Ameisen fressen gern Honig, aber an der Hefe gehen sie ein.
- Backpulver hilft ebenfalls gegen Ameisen. Einfach den Inhalt eines Tütchens dort verstreuen, wo die Ameisen ins Haus kommen. Wenn die Ameisen das Pulver fressen, gehen sie ein.

2. Blattläuse ...

- ... kommen bei Zimmerpflanzen eigentlich nur vor, wenn diese nicht hinreichend gegossen werden. Man wird sie wieder los, wenn man ein wenig Zigaretten- oder Zigarrenasche auf der Blumenerde verteilt.

3. Fliegen

- Man vertreibt sie, wenn man Lorbeeröl in flachen Gefäßen aufstellt.
- Ganz besonders unangenehm und unhygienisch sind Fliegen in der Küche. Einfach einige Tropfen Essigessenz auf eine warme Herdplatte geben, und die lästigen Fliegen suchen das Weite.
- Fliegen mögen keinen Durchzug und keine dunklen Räume.
- Fliegen kommen nicht durchs offene Fenster, wenn Sie:
  - Rizinus-, Basilikum- oder Tomatenpflanzen in Töpfen am Fenster aufstellen;
  - eine mit Nelken gespickte Zitrone auf die Fensterbank legen;
  - einige Tropen Essigessenz auf dem Herd verdampfen lassen;
  - ein Wattebausch mit Lavendel auslegen;
  - immer nur auf den Schattenseiten lüften;
  - keine Lebensmittel offen stehenlassen;
  - Zwiebelscheiben auslegen;

4. Flöhe

- Man stellt eine Schüssel mit Seifenwasser und einer dünnen Schicht Öl auf und setzt in die Mitte eine brennende Kerze. Die gegen das Licht springenden Flöhe werden vom Öl festgehalten und durch das Seifenwasser getötet.
- In der Wohnung bekämpft man Flöhe, indem man alle Holzritzen, z. B. unter Schwellen und Fensterbrettern, gründlich mit Petroleum bepinselt und die Ritzen danach abdichtet.
- Alle waschbaren Gegenstände müssen in der Waschmaschine gewaschen und Läufer, Teppiche und andere Textilien gründlich abgesaugt werden.
- Möbel müssen bei einem hartnäckigen Flohbefall mit einem handelsüblichen Flohbekämpfungsmittel besprüht werden.

5. Holzwürmer

- Es stinkt zwar furchtbar, wirkt aber bei Holzwürmern, die sich mit Vorliebe in alten Möbeln einnisten: Man rührt 15 Gramm Karbolsäure in ¼ Liter Wasser auf und streicht diese Lösung auf die befallenen Stellen. Leider muss man diese Prozedur mindestens zweimal wiederholen.
- Die harmlosere Methode, Holzwürmer zu vertreiben: mit Zwiebelhälften die befallenen Holzteile mindestens zwei Wochen lang täglich einreiben.

6. Kellerasseln

Sie sind platt, grau, breit, mit vielen Beinen.

- Man gießt in eine Flasche einen Teelöffel Weingeist, dreht sie so, dass die ganze Innenwand bespült wird, und legt sie so nieder, dass die Mündung den Boden berührt und die Asseln bequem hineinkriechen können. Das tun sie und werden betäubt. Dann kippt man die Flasche aus und verbrennt die Asseln.
- Eine Kröte, in den Keller gesetzt, löst das Problem auf ihre Art.
- Mit Gurkenscheiben lassen sich Kellerasseln wirksam in die Flucht schlagen.

7. Küchenschaben

- Etwas eklig, aber wirksam: Borax und Zucker zu gleichen Teilen mischen! Küchenschaben platzen davon nach dem Genuß.

8. Läuse

Läuse haben nichts mit mangelnder Hygiene zu tun. Auch wer täglich duscht und die Haare wäscht, kann befallen werden!
- Neben der medikamentösen Behandlung beim Arzt sollte man Kämme und Bürsten auswechseln oder gründlichst reinigen.
- Sämtliche Bekleidung waschen und die Schmusetiere der Kinder in einem Plastiksack 4 Wochen lang verschließen. In dieser Zeit verhungern die Läuse und ihr Nachwuchs.

9. Mäuse

- Mäuselöcher durch mit Terpentin getränkte Lappen verstopfen.
- Die Mäuse verschwinden, wenn man ein Gemisch aus getrockneten, sehr fein zerstoßenen Oleanderblättern und trockenem Sand tief in die Mauselöcher streut.
- Eine unblutige Art, Mäuse loszuwerden: einfach Pappstreifen auslegen, die mit Pfefferminzöl getränkt sind. Mäuse hassen Pfefferminzgeruch und verschwinden sofort.

10. Mehlkäfer

In Vorratsschränken und in unmittelbarer Nähe von Lebensmitteln sollten keine Insektizide eingesetzt werden, deshalb:
- Befallene Lebensmittel sofort entfernen und vernichten.
- Den Schrank mit der Fugendüse des Staubsaugers gründlich saugen, besonders die Ritzen und Fugen gründlich feucht (niemals nass) auswischen und anschließend gut trocknen, am besten mit dem Fön. Türen einige Zeit offen lassen.
- Neue Vorräte in verschließbaren Gefäßen (Gläser, Dosen) aufbewahren.
- Den Schrank weiterhin alle 14 Tage mit der Fugendüse saugen.
- Grundsätzlich: Lebensmittel kühl und trocken lagern.

11. Motten

Achtung: Die Nachkommenschaft einer einzelnen Motte kann in einem Jahr 40 Kilogramm Wolle oder ähnliche Materialien verspeisen!
- Motten kann man mit kleingeschnittenen Orangenschalen und Gewürznelken aus dem Kleiderschrank fernhalten.
- Kleidung kann man einmotten, indem man beim Bügeln in Essigwasser getränkte Lappen dazwischenlegt. Das empfiehlt sich, wegen des leicht sauren Geruchs, allerdings nur für selten getragene Kleidung, die man dann vor dem Tragen etwas auslüftet.
- Motten mögen keine starken Gerüche wie z. B.: Lavendel, Salbei, Thymian, Kampfer. Diese Kräuter kann man in Säckchen im Kleiderschrank aufbewahren oder auch in die Taschen der Kleidung stecken.
- Das Eindringen von Motten verhindert man, indem man ein Sträußchen Steinklee zwischen die Sachen legt.

Der Geruch aus der Kleidung verschwindet wieder, wenn man sie in die Sonne oder an die Heizung hängt. Das ist besonders notwendig, wenn man Naphthalin-Mottenkugeln benutzt hat.

12. Mücken

Die Wissenschaft hat festgestellt, dass Mücken besonderen Appetit auf Menschen mit süßem Blut und auf Schwangere haben. Beide Personengruppen duften einfach intensiver

- Abhilfe tut nachts ein Duftlämpchen oder ein im entsprechenden Öl getränkter Wattebausch. Empfehlenswert ist Nelken- oder Eukalyptusöl.
- Mückenstiche kann man mit Zahnpasta bestreichen. Diese kühlt und lindert den Juckreiz. Außerdem desinfiziert sie. Eine teure Salbe aus der Apotheke kann auch nicht mehr Erfolg bringen.

13. Ratten

- Bei großer Rattenplage im Keller macht man jedes Frühjahr einen gelben Kalkanstrich. Der Kalkfarbe ist Eisenvitriol beizufügen. Lassen sich die Viecher nicht vertreiben, müssen Sie einen Kammerjäger rufen, der über wirksame Methoden verfügt, Ratten zu töten bzw. zu vertreiben. Übrigens: Ratten und Mäuse vertragen sich nicht. Wenn Sie sich also entscheiden müssen, lassen Sie lieber die Mäuse zufrieden.

14. Schmeißfliegen

- Fliegen mit einem Fächer vertreiben, mit einer Fliegenklatsche töten oder Einfangen und draußen freilassen (kann zur Lebensaufgabe werden).
- Fliegengaze (Gewebe aus Baumwolle oder Seide) oder Fliegendraht vor Fenstern und Türen.
- Flüssigkeitsfalle in Form einer enghalsigen Flasche aufstellen, die mit Limonade o. ä. gefüllt ist.
- Fleischfressende Pflanzen anschaffen.
- Klebefallen oder Leimbandfänger aufhängen.

15. Schnaken

- Stören Schnaken die Nachtruhe, legt man ein Taschentuch, auf das man einige Tropfen Nelkenöl gegeben hat, neben das Kopfkissen.

16. Silberfische

Im Bad und in anderen feuchten Räumen findet man immer wieder mal Silberfische. Die bevorzugte Nahrung der Silberfische sind stärkehaltige Stoffe: Kleister, Bucheinbände, Fotos, Zucker, Haare, Hautschuppen und Schmutz.

- Eine Mischung aus gleichen Teilen Zucker und Borax treibt sie in die Flucht.
- Um die Tierchen im Bad oder anderen feuchten Räumen, in denen sie sich zu gerne aufhalten, wieder loszuwerden, muss der Raum erst einmal luftdicht versiegelt werden, damit dort eine Schale Salmiakwasser vor sich hin duften kann.
- Kochendes Wasser in Abfluss und Überlauf von Wannen und Spülbecken gießen.
- Mit der Staubsaugerdüse regelmäßig Fugen von Fliesen und besonders die Hohlräume reinigen.
- Nachts, wenn es dunkel ist, einen mit Gips bestreuten Baumwolllappen auf dem Boden liegenlassen; die Viecher lieben dies und verstecken sich darunter; am nächsten Tag in heißes Wasser werfen und entsorgen.

Doch Achtung: Diese Tiere sind Evolutions-Wunder – sie sind fast unverwüstlich und kommen gerne wieder !

17. Spinnen

- Spinnen sollte man nicht töten, denn sie sind nützlich, weil sie u. a. gerne Insekten fressen. Wenn eine Spinne an Ihrer Zimmerwand sitzt, sollten Sie eine leere Dose über sie stülpen und ein Stück Pappe zwischen Dose und Wand schieben. So eingefangen, können Sie die Spinne nach draußen in die Freiheit entlassen.

18. Stechmücken

- Eine Tomatenpflanze ins Schlafzimmer oder davor auf der Fensterbank abstellen, und die lästigen Blutsauger kommen erst gar nicht herein.

19. Teppichkäfer

- Larven, die an der Wand sind, sollten abgesaugt oder abgewischt werden.
- Befallene Textilien ausbürsten, klopfen, waschen, reinigen oder bügeln.
- Starke Wärme- und Kälteeinwirkung kann diese Schädlinge vernichten.
- Käfer, die innen am Fenster sitzen, einfach nach draußen befördern.
- Grundsätzlich gilt: Wohnung häufig lüften und auch an unzugänglichen Stellen regelmäßig gründlich staubsaugen.

20. Wanzen

- Wanzen hält man von Holzbetten fern, indem man die inneren Holzteile mit Ölfarbe streicht.
- Haben sich Wanzen in einem Zimmer eingenistet, sollte man es einige Tage unbewohnt lassen, ein flaches Gefäße mit Salmiakgeist ins Zimmer stellen und es mehrere Tage streng geschlossen halten: die Wanzen gehen daran zugrunde.
- Wanzen in Kleidern und Stoffen kann man nur mit sehr heißem Wasser ausreiben.
- Man kann Wanzen auch bekämpfen, indem man Salbei oder Wermut auslegt.

21. Wespen

- An Bäumen oder Spalieren hängt man weithalsige Flaschen auf, die jeweils zu einem Drittel mit verdünntem Fruchtsaft gefüllt sind. Es sammeln sich oft hunderte Wespen an. Diese dann vernichten!
- Wespen-Nester sollten abends durch Hineinstoßen eines brennenden Papierballens verbrannt werden.
- Wespen-Nester in der Erde werden mit kochendem Wasser übergossen.

22. Zecken

- Geschlossene Kleidung schützt vor Zeckenbissen
- Haut bei Bedarf mit Insektenabwehrmitteln einreiben.
- Nach dem Aufenthalt in der freien Natur Körper nach Zecken absuchen.
- Zecke sofort mit einer speziellen Zecken-Pinzette entfernen, dabei kein Öl oder Alkohol verwenden.
- Zecke nicht quetschen, sondern herausdrehen.
- Kann die Zecke nicht ganz entfernt werden, einen Arzt aufsuchen.
- Biss-Stelle desinfizieren.
- Wenn in den nächsten Tagen oder Wochen grippeähnliche Beschwerden auftreten, sofort einen Arzt aufsuchen, da bestimmte Zeckenarten eine gefährliche Gehirnhautentzündung hervorrufen können.

Haushalts-Highlights aus dem Aldidente-Schnäppchenplaner von Hagen Rudolph

Hagen Rudolphs jährlich erscheinender *Aldidente-Schnäppchenplaner* präsentiert (jeweils aufgrund der Erfahrungen des Vorjahrs) die günstigen Aldi-Sonderangebote, die es nur ein- oder zweimal jährlich für eine Woche zu kaufen gibt, übersichtlich für das ganze Jahr – und zwar sowohl für die Nordkette als auch für die Südkette von Aldi. Mit ca. 90%iger Wahrscheinlichkeit werden sich die Sonderangebote auch im laufenden Jahr wiederholen.

Für die hier genannten Preise und Informationen wurden Unterlagen aus den Jahren 1999 und 2000 herangezogen. Die Preise sind in DM angegeben. Aufgrund diverser Unwägbarkeiten kann sich der Termin um plus/minus ein bis zwei Wochen verschieben.

Bodenreinigungs-Set

Flexibler Bodenwischer mit extra schwerer Kunststoffplatte und verstellbarem Teleskopstiel, mit einem Feucht- und einem Mikrofaserwischbezug.

Aldi-Nord:	Woche 2	12,98
Aldi-Süd:	Woche 22/40	12,98

Bodenstaubsauger

Nord: 1500 Watt Leistung, 5-fach Filter, elektronische Saugkraftregulierung, mit integriertem Zubehörfach sowie zusätzlicher Kombinationsbürste. Süd: 1400 Watt Leistung.

Aldi-Nord:	Woche 46	149,–
Aldi-Süd:	Woche 18	99,50

Dampfbügeltisch

Bügelfläche ca. 120 x 40 cm, Bügelfläche aus Streckmetall phosphorisiert, Untergestell aus stabilem, abgerundetem Vierkantstahlrohr, höhenverstellbar von ca. 67 cm auf 98 cm, Steckdose mit klappbarer Kabelführung, Zuleitung ca. 2 m.

Aldi-Nord:	Woche 2	49,98
Aldi-Süd:	Woche 6	49,90

Edelstahl-Putzschwamm, 2er-Pack

Mit einer Scheuerseite zum Reinigen und Polieren von Edelstahl und Aluminium ohne chemische Zusätze und einer Schwammseite aus saugstarker Naturfaser.

Aldi-Nord:	Woche 1	2,29
Aldi-Süd:	Woche 6	2,98

Gardinen-Waschmittel, 480-g-Packung/ 1-kg-Packung

Spezial-Waschmittel für weiße Gardinen. Nord: 480 g ergiebig wie 800 g / Süd: 1 kg ergiebig wie 1,6 kg.

Aldi-Nord:	Woche 6	1,79
Aldi-Süd:	Woche 3	2,98

Glasreiniger, 1 Liter

mit Sprühpistole.

Aldi-Nord:	Woche 8/26	1,59
Aldi-Süd:	Woche 8	1,99

Haushalts-Messer-Set, 3er-Set

Brotmesser mit Wellenschliff, Aufschnittmesser, Fleischmesser.

Aldi-Nord:	Woche 2	12,98
Aldi-Süd:	Woche 1	14,98

Insekten-Schutz-Netz für Fenster

Größe: ca. 130 x 150 cm, mit entsprechendem Befestigungsmaterial.

Aldi-Nord:	Woche 22	3,49
Aldi-Süd:	Woche 20	3,98

Insekten-Schutz-Netz für Türen

Je 2 Netze ca. 75 x 220 cm, Material: 100% Polyester, inkl. selbstklebendem Klettband und Beschwerungsstreifen für beide Türbahnen.

Aldi-Nord:	Woche 19	4,59
Aldi-Süd:	Woche 20	4,98

Küchen-Messer-Set, 3er-Set

Schälmesser, Gemüsemesser, Tomatenmesser.

Aldi-Nord:	Woche 28	4,49
Aldi-Süd:	Woche 1	5,98

Reiniger für Spülmaschinen, 600-g-Packung

4 x 150-g-Packungen, mit Zitronensäure, zur Reinigung der Spülmaschine.

Aldi-Nord:	Woche 3	3,49
Aldi-Süd:	Woche 4	3,98

Stapelboxen

Ein praktischer und nützlicher Helfer für Haushalt und Hobby, aus stabilem Kunststoff. In verschiedenen Farben. Stapelbar oder leer in sich zu verstauen.

Aldi-Nord:	Woche 33	3,79
Aldi-Süd:	Woche 1	3,98

Super-Saugtuch

für Haushalt und Auto, saugt ein Vielfaches des Eigengewichtes, Größe ca. 430 x 325 x 2 mm, antibakteriell behandelt, waschbar bis 70 °C, in einer praktischen, wiederverschließbaren Aufbewahrungsbox, 6 Monate Gebrauchsgarantie.

Aldi-Nord:	Woche 8	5,98
Aldi-Süd:	Woche 4/32	7,98

Tuchschwamm, 5er-Pack

Zum Spülen, Putzen und Pflegen, ca. 195 x 115 x 10 mm, aus saugstarken Viskose-Naturfasern, mit hoher Wasseraufnahmefähigkeit, besonders reißfest, waschbar bis 95 °C.

Aldi-Nord:	Woche 1	2,29
Aldi-Süd:	Woche 6	2,98

Teil 2: Küche

Lirum, larum, Löffelstiel

Kochtipps von A–Z

Kochen bereitet eine Menge Mühe und Arbeit. Wenn alles gelingen soll, dann sind viele Arbeitsschritte notwendig. Jeder bereitet seine Speisen unterschiedlich vor und schwört dabei auf sein Rezept. Aber es gibt doch einige Grundregeln und Tricks, die einem das Leben in der Küche sehr viel leichter machen, wenn man sie beherzigt. Deshalb folgt hier, alphabetisch geordnet, eine kleine Sammlung von Tipps, die beim Kochen den Unterschied ausmachen. Es sind Antworten auf Fragen, die sich wohl jeder schon einmal gestellt hat, etwa: Wie bekomme ich meinen Braten besonders mürbe? oder: Wie kann ich eine Suppe, die zu salzig geworden ist, noch retten?

Damit Sie sich in der Fachsprache der Profiköche zurechtfinden, die ja oft auch Einzug in Kochbücher hält, habe ich zusätzlich die wichtigsten Begriffe erklärt. Sie sind im untenstehenden Kochlexikon jeweils *kursiv* gesetzt.

A

Abbinden: *Suppen und Saucen kann man auch mit Speisestärke (z. B.* Maizena*) abbinden, also dickflüssiger machen; die Gerichte werden bekömmlicher und leichter verdaulich als wenn man dafür Mehl verwendet. Außerdem brauchen die Gerichte nur einmal kurz aufzukochen.*

Abbrennen: *Masse im Topf unter Rühren erhitzen, bis sie sich vom Topfboden als Kloß löst (Brandteig).*

Ablöschen: *Schwitze unter Schlagen mit Flüssigkeit aufgießen.*

Abschäumen: *Mit einem Schaumlöffel den sich beim Kochen bildenden Schaum so lange abschöpfen, bis das Kochgut klar bleibt (Suppen, Geleespeisen).*

Absengen: *Fertig gerupftem Geflügel über offener Flamme die feinen Flaumfedern abbrennen.*

Abwellen: *siehe blanchieren*

Al dente: dente ist das italienische Wort für Zahn, das heißt, dass nach italienischer Art gekochte Nudeln noch »Biss« haben und nicht matschig weich sind.

Alte und frische Speisen sollte man nie vermischen.

Altes Huhn sollte man einige Stunden vor dem Kochen in Essig einlegen. Es wird wie ein junges Hähnchen munden.

Anbraten: *Fleischstücke bei starker Hitze und in heißem Fett allseitig bräunen.*

Angebrannte Speisen lassen sich retten, wenn man den Kochtopf, ohne darin herumzurühren und ohne den Deckel abzunehmen, für ein paar Minuten in kaltes Wasser stellt.

Angebrannte Suppe sollte man vorsichtig in einen anderen Topf umgießen. Der angebrannte Bodensatz muss zurückbleiben.

Artischocken möglichst in Emailletöpfen oder Edelstahltöpfen kochen, Aluminium- oder Eisentöpfe verfärben sich! Artischocken selbst verfärben sich nicht, wenn man sie vor dem Kochen ca. 1 Stunde lang aufrecht in kaltes Wasser stellt und einen Esslöffel Essig hinzugießt.

Aufläufe lassen sich mühelos aus der Form lösen, wenn man diese vor dem Einfüllen des Teiges erwärmt hat.

Ausbacken: *Gerichte in heißem Fett, meist schwimmend, garen.*

Austernpilze werden richtig schön knusprig, wenn man sie mit Speiseöl einpinselt und fünf Minuten lang grillt.

Avocado: beim Einkauf muss man darauf achten, dass die Früchte schon weich sind, da harte überhaupt nicht schmecken. Man schneidet Avocados am besten längs bis zum Kern ein und dreht dann beide Hälften gegeneinander. Dann noch vorsichtig den Kern aus der Hälfte lösen. Damit das helle Fruchtfleisch nicht dunkel wird, sofort mit etwas Zitronensaft beträufeln. Bei Avocadopüree lässt man bis zum Servieren den Kern im Püree liegen.

B

Bambus sollte man vor dem Verzehr unbedingt spülen. Mit Bambus betont man den Eigengeschmack des Fleisches in chinesischen Gerichten. Zuviele Bambussprossen in einer Mahlzeit lassen diese aber schnell »umkippen«, also sauer werden!

Beizen: *Einlegen von Wild, Geflügel, Fleisch in Beizen aus Essig, Wein oder Buttermilch unter Zugabe von Salz, Zwiebeln, Lorbeerblättern, Nelken, Gewürzkörnern, Pfefferkörnern und Zitronenschale.*

Binden: *Um Suppen und Eintöpfe zu binden, also »sämig« zu machen, kann man rohe Kartoffeln hineinraspeln und das ganze aufkochen lassen.*

Blanchieren: *Kurzfristiges Erhitzen roher Nahrungsmittel im Siebeinsatz über Wasserdampf, im Fettbad oder in kochender Flüssigkeit (etwa 3 Minuten) und anschließendes schnelles Abkühlen.*

Blattsalat wird nicht welk, wenn man die Salatblätter in kaltes Wasser legt, etwas Zitronensaft sowie die Schalen einer rohen Kartoffel hinzugibt und das ganze an einem kühlen Ort aufbewahrt.

Blumenkohl behält seine weiße Farbe, wenn man ins Kochwasser eine Prise Salz, Milch oder etwas Zitrone gibt. Der Kohlkopf sollte nicht schon beim Einkaufen nach Kohl riechen, denn dann ist er alt. Ob der Kohl weiß oder gelblich ist, sagt hingegen nichts über den Geschmack aus. Wenn man den Kohl als Ganzes kochen möchte, sollte man ihn vorher etwa 45 Minuten in Essig-Salzwasser legen, um das Ungeziefer zu töten, das sich möglicherweise darin versteckt. Blumenkohl sollte immer mit dem Strunk nach unten in einer Mischung aus Milch und Wasser gekocht werden.

Wenn man ein Stück Brot mitkocht, riecht die Wohnung hinterher nicht so nach Kohl. Der Strunk des Blumenkohls wird weich, wenn man ihn vorm Kochen kreuzweise tief einschneidet.

Blutwurst sollte mit der Haut gebraten werden, da sie dann nicht so viel Fett aufnimmt.

Bohnen sollte man grundsätzlich eine Nacht einweichen lassen und das Wasser wegschütten. Außerdem sollte man sie nie roh essen, da sie dann Phasin enthalten, welches Übelkeit auslösen kann.

Braten werden besonders mürbe, wenn man vor dem Angießen des Schmorfonds (s. »Fond«) ein Glas Weinbrand über den Braten gießt. Eine andere Methode, Fleisch oder Wildbret mürbe zu bekommen: Bouillon und Essig zu gleichen Teilen aufkochen und abkühlen zu lassen und das Fleisch einige Stunden lang darin einlegen. Ein Braten sollte erst in den Schmortopf gegeben werden, wenn das Fett heiß ist, damit sich die Poren schließen und der Fleischsaft nicht verloren geht.

Bratensaft wird besonders gut, wenn man die Fleischknochen mitbrät. Die Knochen in der Pfanne verteilen und den Braten drauflegen. Den fertigen Braten aus der Pfanne nehmen, warm stellen, das überschüssige Fett abgießen, den Fond mit Brühe oder Wein lösen und gut aufkochen lassen.

Bratensaucen sollten etwas einkochen, dann mit Kartoffelstärke oder Instantsaucenpulver binden.

Bratfett spritzt nicht so heftig, wenn man eine Prise Salz in das siedende Fett gibt.

Bratfisch: Wenn man Fisch im Ganzen braten möchte, steckt man ihm einfach ein paar Kartoffelstückchen in den Bauch. Dieser Trick verhindert, dass der Fisch beim Braten zusammenfällt. Er bleibt schön fest.

Bratheringe fallen beim Braten nicht auseinander, wenn man sie vorher in Essigwasser einlegt.

Bratkartoffeln macht man aus Pellkartoffeln. Je heißer die Pellkartoffel ist, desto leichter lässt sie sich schälen. Danach in feine Scheiben schneiden und zusammen mit Speck und Zwiebeln bei starker Hitze in Fett braten. Falls man keine Teflonpfanne benutzt, empfiehlt sich allerdings eher das andere Verfahren, um das lästige Anbrennen zu verhindern: Ca. 20 Minuten bei kleiner Hitze braten, ab und zu wenden und erst am Ende kurz bei starker Hitze knusprig braten. Lecker schmeckt es auch, wenn man rohe, geschälte Kartoffeln in dünne Scheiben schneidet und brät.

Bratwürste platzen nicht, wenn sie vor dem Braten kurz in kochende Milch eingelegt werden. Sie werden besonders knusprig, wenn sie nach der halben Bratzeit mit Bier bepinselt werden. Herrlich würzig und aromatisch werden sie, wenn man sie zusammen mit einigen Zweigen Salbei, Thymian oder Rosmarin kurz im erhitzten Bratfett schwenkt. Die Kräuter sollten dann aber entfernen werden, damit das frische Grün nicht anbrennt.

Broccoliröschen werden schneller gar als die Stiele. Schneiden Sie deshalb die Stiele kreuzweise tief ein, dann ist die Garzeit die gleiche.

Brühe bleibt klar, wenn man die Gewürze nicht direkt in die Brühe gibt, sondern in einem Mullsäckchen oder einem Tee-Ei mitkocht und dann wieder entfernt.

C

Champignons halten sich mehrere Tage lang, wenn man sie in offenen Schalen im Gemüsefach des Kühlschranks aufbewahrt. Die Pilze lassen sich mit einem Eierschneider schnell und gleichmäßig in Scheiben schneiden. Legt man die in Scheiben geschnittenen Champignons quer, erhält man Stifte. Champignons bleiben nach dem Schneiden hell, wenn man sie mit Zitronensaft beträufelt.

Chicorée hat einen leicht bitteren Geschmack. Dieser kann vermieden werden, indem man den Strunk kegelförmig mit einem spitzen Messer herausschneidet.

Chinesische Glasnudeln sollte man erst in Stücke schneiden, dann 1 Stunde in Wasser einweichen und anschließend nur 1 Minute lang kochen.

Cremesuppen niemals in Aluminiumgefäßen zubereiten oder verarbeiten, sie werden sonst unappetitlich grau.

D

Dämpfen: *Garen im Siebeinsatz über Wasserdampf im gut verschlossenen Topf.*

Dampfsaften: *Längeres Erhitzen von Obst oder Gemüse im Siebkorb in Wasserdampf, wobei der Saft abläuft.*

Desserts werden im Allgemeinen kühl serviert, sollten aber 10 Minuten vor dem Servieren aus dem Kühlschrank genommen werden, damit zu nicht zu kalt sind und ihren Geschmack entwickeln können.

Dressieren: *Küchenfertige Produkte mit Hilfe von z. B. Nadel und Faden in eine bestimmte Form bringen.*

Dressing: Salat schmeckt erst richtig gut mit einer guten Sauce, neudeutsch: Dressing. Dieses stellt man sich auf Vorrat aus 1 l Wasser, ¼ l Essig, 30g Salz und nach Geschmack auch Zucker zusammen. Alles wird gut aufgerührt und in eine große Flasche gefüllt. Auf dieser Grundlage lassen sich alle Salate anmachen. Je nach Geschmack fügt man noch Öl, Zwiebeln, Pfeffer, Speck, Kräuter und/oder Joghurt hinzu.

Druckgaren: *Garen im Siebeinsatz über Wasserdampf oder in Flüssigkeit im fest verschlossenen Gefäß.*

Dünsten: *Garen in wenig Flüssigkeit (Wasser, Milch oder Brühe), meist unter Zugabe von ein wenig Fett. Wasser kann zugesetzt werden oder aus dem Gargut selbst stammen.*

E

Eidotter verfärbt sich auch bei hartgekochten Eiern nicht ins bläuliche, wenn man die Eier nur fünf Minuten lang kocht und dann acht weitere Minuten lang im heißen Wasser liegen lässt.

Eier platzen nicht auf, wenn man etwas Butter, Margarine oder Speiseöl ins Kochwasser gibt. Eier niemals waschen, denn Wasser zerstört die natürliche Schutzschicht und sie verderben leicht. Eier nehmen durch die Schale hindurch leicht fremde Gerüche auf. Deshalb nie neben Knoblauch, Zwiebeln oder Lauch in den Kühlschrank legen.

Einbrennen: *Mehl in heißem Fett und im offenen Topf lichtgelb oder braun schmoren.*

Endiviensalat sollte nicht mit Essig angemacht werden, sondern mit Zitronensaft. Durch Essig verliert er seinen Eigengeschmack. Seinen leicht bitteren Geschmack verliert er, wenn man ihn nach dem Schneiden ca. 10 Minuten in lauwarmes Wasser legt.

Entsaften: *Trennen des Saftes vom festen Teil des Obstes oder Gemüses durch Pressen unter Druck oder nach vorhergehendem Reiben durch Zentrifugieren.*

Erbsen behalten beim Kochen ihre grüne Farbe, wenn man ins Kochwasser ein Stück Würfelzucker gibt.

Erbsensuppe brennt nicht an, wenn man zusätzlich eine breite Brotscheibe in die Suppe gibt. Die Brotscheibe hindert die Erbsen am Absinken.

Evaporieren: *Entziehen eines erheblichen Anteils von Wasser durch Erhitzen im offenen Gefäß.*

F

Farce: Verschiedene rohe oder gekochte Zutaten – je nach Rezept gehacktes Fleisch, Reibbrot, Eier und Gemüse – vermengt, zum Füllen oder Überziehen von Gerichten.

Farcieren: *Füllen bestimmter Lebensmittel (Geflügel, Tomaten), meistens mit einer Fleischmasse.*

Fett in Saucen, Suppen oder Eintöpfen: Wer es nicht mag, sollte die Flüssigkeit kaltstellen und dann das erhärtete Fett von der Oberfläche abnehmen, oder Salatblätter in den Topf geben und gleich wieder entfernen, wenn das Fett anhaftet. Eine weitere Möglichkeit bietet eine spezielle Fettkanne (im Fachhandel erhältlich), in der das Fett beim Abgießen zurückbleibt.

Fettspritzer → Bratfett

Fisch einkaufen erfordert ein besonderes Auge. Wenn der Fisch nicht frisch, sondern angelaufen ausschaut, ist er schon einige Tage alt – ebenso müssen die Kiemen ein schönes helles Rot aufweisen und nicht matt ausschauen.

Fische lassen sich leichter schuppen, wenn man sie vorher einmal rasch durch heißes Wasser zieht.

Der Fisch erhält beim Braten einen pikanteren Geschmack, wenn einige Tropfen Zitronensaft ins Bratfett geträufelt werden.

Achtung! Fisch zerfällt leicht beim Kochen! Dann sollte man die Gräten herauslösen, den Fisch zerteilen und mit passender Sauce als Frikassee anrichten.

Fischsud: *Die Flüssigkeit, in der die Fische gekocht wurden. Je nach Rezept bestehend aus: 1 l Wasser, 1 Glas Essig oder 2 Gläser Wein, 1 Zwiebel, 1 dünn geschnittene Karotte, 1 Lorbeerblatt, Petersilie, Salz, Pfeffer und Gewürzkörner.*

Flambieren: *Speisen mit hochprozentigem Alkohol übergießen, anzünden und brennend servieren.*

Flammeri: *eine mit Speisestärke, Grieß oder Sago gekochte süße Speise, die nach dem Erkalten gestürzt werden kann.*

Fleisch lässt sich einfacher in dünne Scheiben schneiden, wenn man es vorher 1 Stunde lang in den Tiefkühler legt. Beim Braten spritzt es nicht so sehr, wenn es vorher mit einem Küchentuch trockengetupft wird. Das Bratfett sollte sehr heiß sein, damit sich die Fleischporen sofort schließen und kein Fleischsaft austreten kann.

Wenn man rohes Fleisch aufbewahren will, reibt man es mit etwas Öl ein und deckt es mit Klarsichtfolie ab. So trocknet es nicht aus und wird schön mürbe! Zähes Fleisch sollte man nicht wegwerfen, sondern durch den Fleischwolf drehen und zu Haschee, Klopsen oder Aufläufen verarbeiten.

Fleisch einkaufen! Auch da muss man seine Augen offen halten. Bei Fleisch, das in Folie eingeschweißt ist, achtet man auf die Farbe: wenn es dunkelrot ist, kann es eventuell abgestickt (sauer) sein. Am besten, man nimmt die Verpackung, in der das Fleisch schön frisch und hellrot ausschaut.

Folienkartoffeln werden viel schneller gar, wenn man durch jede Kartoffel der Länge nach einen Nagel steckt. Das Metall leitet die Wärme, so dass sich die Garzeit verringert.

Fond: *An der Pfanne haftende Bratenrückstände, die mit etwas Flüssigkeit gelöst werden und Grundlage der Sauce sind.*

Frikadellen schmecken besonders gut, wenn man einen Schuss Branntwein als Geschmacksverstärker zum Hackfleischteig gibt oder wenn man sie mit Thymian oder Majoran würzt.

Frittieren: *Garen in reichlich Fett, so dass das Gargut schwimmt. Je nach Gargut liegt die Temperatur des Fetts zwischen 140 und 220 °C.*

G

Eine **Gans**, die zu fett ist, sollte man mehrmals anstechen, da das meiste Fett direkt unter der Haut liegt. So kann es beim Garen gut ablaufen. Eine halbe Stunde vor Ende der Garzeit kann man die Gans mit Bier übergießen. Das gibt eine schöne Farbe, erhöht die Knusprigkeit und schmeckt gut.

Gebräunte Butter verleiht Speisen einen extravaganten Nussgeschmack.

Geflügel zu verarbeiten erfordert absolute Hygiene! Wegen der Salmonellengefahr sollte man darauf achten, dass alles, was mit dem rohen Geflügel in Berührung gekommen ist, gut desinfiziert wird. Geflügelfleisch sollte man vor dem Kochen oder Braten mit Zitronensaft beträufeln. Es wird dann noch zarter und saftiger.

Gefrieren: *Temperatursenkung in Lebensmitteln auf Temperaturen unterhalb des Gefrierpunktes, meist auf –18 °C oder tiefer.*

Gemüse erst kurz vor dem Kochen rasch, aber gründlich unter fließendem Wasser waschen. Zum Kochen immer möglichst frisches Gemüse verwenden, die Garzeiten kurz halten und das Gemüse erst kurz vor dem Verzehr zubereiten. Zum Kochen sollte man nur so viel Wasser wie nötig verwenden; so bleiben die Vitamine erhalten, und außerdem spart man Energie. Gemüse wird weich, wenn eine Messerspitze Natron zugefügt wird. Andicken kann man gekochtes Gemüse, indem man Saucenbinder oder Mehl verwendet oder indem man eine rohe Kartoffel in das Gemüse reibt und alles noch einmal kurz aufkocht. Vor dem Einfrieren muss Gemüse nur kurz blanchiert werden, da es dann weniger an Struktur, Farbe und Geschmack verliert.

Geschnetzeltes sollte schön einheitlich dünn geschnitten werden, damit es gleichmäßig gar wird. Das geht am leichtesten, wenn man das Fleisch vor dem Schneiden eine Zeitlang in die Gefriertruhe legt und etwas anfrieren lässt.

Getrocknete Kräuter entwickeln mehr Würzkraft, wen man sie vorher zwischen den Fingern oder Handflächen zerreibt.

Gewürzdosis: *1 Lorbeerblatt, 3 Pfeffer-, 4 Gewürzkörner (Piment), 1 Zwiebel, etwas Salz.*

Gewürzkörner bzw. Gewürzteile in der Sauce sind unangenehm. Man kann sie vermeiden, indem man ein Tee-Ei verwendet. Man füllt es mit den Gewürzen, kann es mitkochen lassen und nachher mühelos entfernen.

__Glasieren__: Überziehen von Lebensmitteln mit Glasuren, hergestellt aus Zucker oder ungesalzener, stark eingekochter Fleisch-, Fisch-, oder Geflügelbrühe.

__Gratinieren__: Durch starke Oberhitze, gegebenenfalls mit Grillstab, eine gut gebräunte Oberfläche (Kruste) erzielen.

__Grillen__: Garen durch Strahlungshitze am Spieß oder auf dem Rost bei besonders hohen Temperaturen.

Grillfleisch wird beim Grillen schneller knackig und braun, wenn man es zuvor mit etwas Zucker bestreut hat. Der Geschmack wird dadurch nicht beeinflusst.

Grillhähnchen bleiben zart und saftig, wenn man in das Innere eine rundum eingestochene, ungespritzte Zitrone legt.

Grüne Bohnen bleiben leuchtend grün, wenn man sie in kochendem Salzwasser knackig gart und anschließend eiskalt abschreckt.

Gulasch wird schön zart, wenn nicht das ganze Fleisch auf einmal, sondern in kleinen Portionen nacheinander angebraten wird.

Gurken bleiben länger frisch, wenn man sie mit der Stielseite gut zur Hälfte in frisches Wasser stellt. Das Wasser muss zweimal pro Tag erneuert werden.

Gurkeneinmachzeit: Das Waschen der Gurken ist eine zeitraubende Angelegenheit. Deshalb die Gurken einfach in die Waschmaschine geben und bei 30 °C 16 Minuten einschalten – natürlich ohne Waschmittel.

H

Hackfleisch klebt nicht am Papier fest, wenn das Paket vor dem Auswickeln mit kaltem Wasser angefeuchtet wird. Hackfleisch sollte man nie länger als einen Tag alt werden lassen, außer in gebratenem oder gegartem Zustand. (Dasselbe gilt für Innereien: Leber, Nieren, Herz usw.)

Hähnchen werden schön knusprig und bleiben trotzdem saftig, wenn die Temperatur des Ofens nicht zu hoch eingestellt ist (180 °C reichen aus). Kurz vor Ende der Garzeit kann man das Hähnchen mit einer starken Salzlösung oder Bier übergießen bzw. einpinseln, damit die Haut schön braun wird.

Heringssalat bekommt mehr Biss, wenn man zusätzlich zu den Apfelstücken auch Chicorée gewürfelt untermischt.

Hühnersuppe: Vor dem Kochen sollte man das Huhn mit kochendem Wasser überbrühen. So lösen sich die trüben Stoffe aus den Hautschichten.

K

Kalte und warme Speisen sollten nie vermischt werden! Das Gemisch wird leicht sauer.

Karotten sollte man nicht mit dem Kraut (Grün) einlagern. Es entzieht den Karotten die Feuchtigkeit, und sie werden schneller welk.

Kartoffeln in der Schale gekocht haben sehr viel Vitamin C. Sie kochen nicht über, wenn man eine Messerspitze Butter ins Kochwasser gibt.

Kartoffelbrei, der zu dünn geraten ist, wird mit Trockenmilch oder Püreepulver wieder locker.

Kartoffelpuffer bekommen eine schönere Farbe, wenn man unter die geriebenen Kartoffeln eine Möhre reibt.

Kartoffelsalat macht man aus Pellkartoffeln. Man schneidet sie am besten mit dem Eierschneider. Damit er richtig lecker wird, muss die Marinade mindestens 30 Minuten einziehen. Am besten erwärmt man sie vorher ein wenig.

Kneten: *Vermengen von Nahrungsmitteln mit wenig Flüssigkeit zu einer einheitlichen festen Masse.*

Knödel sind gar, wenn sie an die Wasseroberfläche steigen (bei schweren Knödeln, z. B. Obst- oder Kartoffelknödel); Knödel aus leichten Massen (z. B. Semmelknödel) beginnen sich im leicht wallenden Wasser zu drehen.

Kohlrabi sind oft holzig, darum sollte man beim Einkauf darauf achten, dass man kleine Knollen nimmt.

Kopfsalat, nicht zu fest in Alufolie gewickelt, hält sich im Kühlschrank bis zu 14 Tage.

Kräutersuppe bekommt eine schöne grüne Farbe, wenn man eine kleine Menge kurz gekochten Blattspinat unterrührt.

L

Leber legt man vor dem Braten in Milch (damit der Geschmack milder wird) und gibt sie dann in das heiße Fett. Die übriggebliebene Milch kann für die Sauce verwendet werden. Sie sollte erst nach dem Braten gesalzen und gewürzt werden, damit sie nicht zäh und hart wird.

Das ***Legieren*** *(Binden, Andicken) einer Suppe oder Sauce mit in kaltem Wasser verquirltem Eigelb, mit Sahne oder Butter, gegebenenfalls auch mit etwas Mehl (ebenfalls vorher verquirlt), darf nur geschehen, wenn die Flüssigkeit nicht mehr kocht, da es sonst zu Ausflockungen kommt. Am besten nimmt man den Topf dazu von der Kochstelle. Die Temperatur muss jedoch so heiß sein, dass beim Einrühren des »Dickmachers« eine cremige Bindung entsteht. Dabei kräftig rühren.*

M

Mangold kann wie Spinat zubereitet werden, oder man benutzt seine Blätter, um sie lecker zu füllen.

Marinieren: *Fleisch oder Fisch vor dem Garen in Marinade (Essig-Zitronen-Saft, Kräuter, Gewürze, gegebenenfalls Sahne oder Mayonnaise, Buttermilch und Zwiebeln) einlegen und ziehen lassen.*

Markklößchen werden locker, wenn man etwas Backpulver in die Masse gibt.

Mayonnaise wird schneller dick, wenn man nur sehr gut gekühlte Eier verwendet.

Meerrettich bleibt nach dem Reiben weiß, wenn er mit etwas Salz verknetet in einem Porzellangefäß aufbewahrt wird.

Mehl: Wenn man eine Sauce o. ä. mit Mehl andicken möchte, sollte man das Mehl vorher mit etwas Salz vermischen, es klumpt dann weniger. Man kann das Mehl auch vorher in Wasser anrühren.

Mehlschwitze: *Fett erhitzen und etwas Mehl darin anrösten. Mit Flüssigkeit je nach Rezept ablöschen und gut verrühren, am besten mit dem Schneebesen oder elektrischen Handrührgerät. Gut durchkochen lassen und zum Binden von Suppen, Gemüse und Saucen verwenden.*

Milchreis schmeckt besonders gut und wird schön locker, wenn man kurz vor dem Anrichten den geschlagenen Schnee von einem oder zwei Eiweiß unterhebt.

Möhren sind von Natur aus schon recht süß, aber eine Prise Zucker oder ein Löffel Honig im Kochwasser intensivieren das Aroma noch. Möhren, die gekocht werden sollen, schmecken herzhafter, wenn man dem Kochwasser einen Schuss Apfelsaft beigibt.

Muscheln wäscht man, indem man sie unter fließendem kalten Wasser gegeneinanderreibt und den Bart, der sich an der Seite befindet, abzupft.

N

Nudeln kochen nicht so schnell über, wenn man dem Kochwasser einen Schuss Öl zufügt. Sie werden besonders delikat, wenn man dem Kochwasser einige Tropfen Tabasco oder einen Thymianzweig zufügt. Nudeln sollten sofort nach dem Abgießen serviert werden, und nicht, wie immer wieder angenommen, kalt abgebraust!

Wenn Nudeln nach dem Kochen zusammenkleben, mit wenig heißem Wasser übergießen und abtropfen lassen. Ideal eignet sich dafür ein kleiner Rest des Kochwassers. Nur Nudeln, die vorgekocht und später aufgewärmt werden sollen, kühlt man unter fließendem Wasser ab und vermischt sie mit ein wenig Öl – sie kleben dann nicht mehr. Falls man das versäumt hat und die Nudeln zusammenkleben, gibt man nur etwas kaltes Wasser hinzu, sie lösen sich dann fast von selbst wieder voneinander!

P

Panieren *(Eintauchen von Fleisch, Fisch oder Gemüse in eine Teigmasse aus Mehl, geschlagenem Ei und Semmelbröseln) kann man auch mit Zitronensaft, wenn einem das Ei fehlt.*

Paprika und Cayennepfeffer werden bitter, wenn man sie erhitzt. Deshalb nicht zum Anbraten benutzen.

Paprikaschoten häutet man, indem man sie für ca. 10 Minuten in den auf 250 °C vorgeheizten Ofen legt, bis die Haut Blasen wirft. Dann lässt sie sich leicht abziehen.

Parfümieren: *Abschmecken von Obstsalaten und Süßspeisen mit Likör oder anderem aromatischem Alkohol.*

Passieren: *Pressen von weichem, meist gegartem Gut durch Siebe oder gelochte Metalleinsätze.*

Pasteurisieren: *Erhitzen von Lebensmitteln in Flüssigkeit auf Temperaturen von 85 °C.*

Pfannkuchen machen will gelernt sein. Man achte darauf, dass die Pfanne vor dem Eingießen des Teiges richtig heiß ist. Das Öl kann ruhig etwas rauchen. Pfannkuchen werden besonders locker, wenn man einen kräftigen Schuss Bier in den Teig mit einrührt, was dann allerdings nicht unbedingt für Kinder geeignet ist.

Pizzateig wird besonders gut, wenn man Bier anstatt Wasser verwendet!

Pochieren: *Aufgeschlagene Eier in Essigwasser kochen, bis das Eiweiß gerinnt.*

Pökeln: *Einlegen von Fleisch in eine 15–20prozentige Kochsalzlösung oder schichtweises Überstreuen mit Kochsalz.*

Pudding bekommt nach dem Kochen keine Haut, wenn man die Oberfläche mit zerlassener Butter bestreicht oder etwas Zucker auf die noch heiße Masse streut. Pudding, Gelee oder ähnliche Speisen, die gestürzt werden sollen, müssen zusammen mit der Form kurz in heißes Wasser getaucht werden. Das Dessert löst sich dann problemlos.

R

Räuchern: *Entzug von Wasser durch Wärmeeinwirkung bei gleichzeitigem Eindringen der im Rauch enthaltenen bakteriziden Stoffe.*

Reis bleibt körniger mit etwas Zitronensaft im Kochwasser.

Reismehl kann man auch zum Binden verwenden. Man zerkleinert am besten Milchreis in einem Mixer. Dieses Mehl dann einfach in die Sauce streuen und umrühren. Es dickt schon nach ganz kurzer Zeit. Man sollte es sehr sparsam verwenden, lieber später nachdicken.

Rindersuppe wird schön klar, wenn man ein wenig Leber oder 1 bis 2 kleine Tomaten mitkocht.

Roastbeef testet man am besten auf seinen Garzustand, indem man einen Metallspieß oder eine Fleischgabel ganz durch das Fleisch sticht, ca. 4 Sekunden darin lässt und sich dann unter die Unterlippe hält. Das Metall sollte in der Mitte lauwarm sein. Dann schaltet man den Backofen aus, lässt die Türe offen, deckt das Fleisch mit Alufolie ab und lässt es ca. 15 Minuten im Ofen. Wenn man nun das Fleisch schneidet, bleibt der Fleischsaft im Fleisch und es wird viel saftiger.

Rohes Fleisch sollte man nie auf Holzbretter oder Holzteller legen. Holz speichert fremde Gerüche, und rohes Fleisch nimmt ebenfalls Gerüche an.

Rösten: *Bräunen durch starke Hitze auf der Kochstelle oder in heißer Luft im Backofen.*

Rosenkohl muss nur 10–15 Minuten lang gegart werden. Vorher die Strünke kreuzweise einschneiden

Rotkohl behält seine Farbe, wenn man einen Schuss Essig mitkocht. Er schmeckt besonders gut, wenn man kurz vor dem Anrichten ein bis zwei Esslöffel Kirsch- oder Pflaumensaft unterrührt.

Rührei wird herrlich locker, wenn zu den verquirlten Eiern etwas kohlensäurehaltiges Mineralwasser gegeben wird.

S

Sauerkraut verliert beim Kochen rasch die Vitamine, daher immer nur kurz erwärmen.

Schafskäse wird mild, wenn man ihn einige Stunden in kaltes Wasser legt.

Schlagen: *Einarbeiten von Luft in eiweiß- oder fetthaltige Produkte.*

Schmoren: *Zunächst das Fleisch in wenig Fett im offenen Topf anbraten, mit wenig kochender Flüssigkeit auffüllen und dann im geschlossenen Topf garen.*

Schuppen von Fischen kann man mühelos mit einem Topfkratzer entfernen.

Schwarzwurzeln lassen sich leichter schälen, wenn man sie vorher mit kochendem Wasser überbrüht.

Schweinebraten bekommt eine besonders knusprige Schwarte, wenn man ihn kurz vor Beendigung der Bratzeit mit Salzwasser oder Bier einpinselt.

Schweinshaxe: Die rohe Schwarte lässt sich nur schwer einschneiden. Darum überkocht man die Haxe oder den Braten einmal ganz kurz, legt das gute Stück in kaltes Wasser und schneidet dann die Schwarte ein.

Sauce, die versalzen ist, kann man mit einem Schuss Orangensaft wieder neutralisieren. Saucen, die zu dünn geraten sind, bekommen wieder eine bessere Konsistenz, wenn man 1 TL Mehl in einer Tasse mit kaltem Wasser zu einem glatten Brei mischt und unter Rühren in die Sauce einfließen lässt.

Spargel sollte man portionsweise gebündelt mit etwas Butter, Salz und einer Prise Zucker ins Kochwasser geben.

Speck lässt sich in angefrorenem Zustand besser in Würfel schneiden.

Spicken: *Mageres Fleisch mit Speckstreifen durchziehen.*

Spießbraten*: Fleisch, Geflügel, Fisch usw. auf einen Spieß gesteckt und über offener Glut gedreht.*

Spinat muss mehrfach in stehendem, immer wieder erneuerten Wasser gewaschen werden. Dann erst die Stiele abschneiden. Achtung bei der Mengenberechnung: Spinat schrumpft wie kein anderes Gemüse! Spinat mit etwas Milch oder Sahne zubereiten, damit das darin enthaltene wertvolle Eisen besser vom Körper verwertet werden kann. Man sollte Spinat nicht aufwärmen, da dabei das gesundheitsschädliche Nitrit freigesetzt wird.

Steak wird zart, wenn man Essig und Öl vermischt, über das Fleisch gießt und vor dem Braten etwa zwei Stunden lang einziehen lässt. Dabei sollte man das Steak öfters wenden. Die Steaks sollten im tiefen Teller rings herum mit Öl benetzt und dann erst in die trockene, heiße Pfanne gelegt werden. Das spritzt deutlich weniger, als wenn man erst das Öl in die Pfanne tut. Das Fleisch brät außerdem wirklich und kocht nicht im eigenen Saft, das heißt, es bleibt saftiger. Steaks kann man auf verschiedene Weise zubereiten:

– roh (»raw«): Sie haben außen eine dünne, braune Kruste und sind innen blutig. Man brät sie von jeder Seite bei starker Hitze eine Minute an.

– blutig (»rare«, »english«): Sie haben eine braune Kruste, sind innen rosa und haben einen blutigen Kern. Sie werden bei starker Hitze von jeder Seite 2 Minuten gebraten

– rosa (»medium«): Sie sind außen braun und innen rosa. Sie werden erst bei starker Hitze von jeder Seite 1 Minute gebraten und dann bei mittlerer Hitze von jeder Seite 3 Minuten.

– ganz durchgebraten (»welldone«): Sie sind ganz grau. Sie werden 1 Minute lang bei großer Hitze in der Pfanne gewendet und dann noch 5 Minuten von jeder Seite bei mittlerer Hitze gebraten.

Steckrüben würzt man am besten mit etwas Essig oder Zitronensaft, um den erdigen Geschmack zu verbessern.

Steifes Eiweiß gelingt einem besser, wenn man beim Eiertrennen etwas Eigelb zum Eiweiß gibt. Außerdem fügt man dem Eiweiß etwas Zitronensaft zu.

Sterilisieren: *Haltbarmachen von Lebensmitteln durch Erhitzen auf Temperaturen von über 100 °C.*

Suppengrün: Bund aus einigen Stengeln Petersilie, Sellerieblättern und -wurzeln, etwas Lauch (Porree) und eine Möhre.

Süßspeisen schmecken besser mit einer Prise Salz. Desserts, die mit Gelatine zubereitet werden, dürfen danach nicht mehr kochen, weil die Gelatine dann ihre Bindefähigkeit verliert.

Suppe, die zu trüb geworden ist, kann man wieder klar bekommen. Dies ist allerdings etwas aufwendig. Man lässt die Suppe kalt werden und stellt eine »Klarifikation« her: Rindfleisch mit Wurzelgemüse (Karotten, Sellerie und Zwiebel) grob zerkleinern, mit Eiweiß vermischen und wenn möglich Eiswürfel dazugeben. Das Ganze mischt man gut mit der Suppe durch und kocht es langsam auf. Es bildet sich zuerst ein richtiger Schaum und danach eine dicke Masse auf der Suppe. Eine Weile ziehen lassen und vorsichtig abseihen, danach ist die Suppe wieder klar.

Suppenfleisch wird schneller weich, wenn man einen Esslöffel Essig ins Kochwasser gibt.

T

Tranchieren: *Wild, Geflügel und Fleisch mit Messer und Geflügelschere fachgerecht zerteilen.*

Trocknen: *Entfernen eines erheblichen Anteils von Wasser bis zu einem Mindestfeuchtigkeitsgehalt von etwa 10% durch Wärme.*

V

Versalzene Suppen oder Eintöpfe kann man retten, indem man ein rohes Eiweiß unterrührt. Das geronnene Eiweiß sollte man dann herausnehmen, es wird den größten Teil des Salzes aufnehmen. Weitere Tipps:

- Bei gebundenen Suppen und Eintopf rohe Kartoffeln hineinraspeln und aufkochen lassen.
- Viel frischgehackte Kräuter untermischen.
- Apfelessig und Zucker zu gleichen Teilen mischen und teelöffelweise ins Kochgut geben, bis das überschüssige Salz neutralisiert ist.

W

Wildpilze sollten nicht nochmals aufgewärmt werden. Gerichten mit Zuchtpilzen (wie Champignons oder Austernpilze) dagegen schadet erneutes Erhitzen nicht, vorausgesetzt, sie kühlen nach dem ersten Kochen schnell ab und werden im Kühlschrank gelagert.

Wirsing verliert rasch seinen Geschmack, daher sollte er immer nur 10-15 Minuten lang gedünstet werden.

Z

Zuckererbsen sind junge, nicht voll ausgereifte Erbsen. Sie sind so fein und zart, dass sie im Ganzen verzehrt werden können. Garzeit 5–8 Minuten, danach blanchieren, damit sie schön grün bleiben.

Zwiebel nach dem Schälen und vor dem Zerschneiden kurz mit kochendem Wasser übergießen und mit einem scharfen Messer schneiden, dann tränen die Augen nicht.

Zwiebel, gespickt: *Eine Zwiebel mit einem Lorbeerblatt und 2–3 Nelken bestecken*

Zwiebelschalen lassen sich sehr gut zum Einfärben von Ostereiern verwenden. Die Eier erhalten einen schönen Braunton.

Backe, backe Kuchen

Kleines Backlexikon für Anfänger und Meister

Gute Freunde oder die Familie zum Kaffee einzuladen ist eine schöne Sache. Kuchen und Torten können auch der krönende Abschluss eines Festmahls sein. Meine Mutter backt die besten der ganzen Welt. Die sind zwar die reinsten Kalorienbomben, aber um nichts in der Welt möchte ich diese Köstlichkeiten missen. Einiges konnte ich mir von ihr abgucken, anderes habe ich mir selbst beigebracht. Mir blieb auch nichts anderes übrig, denn mein Mann und meine Kinder sind die reinsten Süßmäuler. Allerdings sind es viele Arbeitsschritte bis zur leckeren Sahnetorte oder dem saftigen Napfkuchen.

Eine schöne geschmeidige Creme herzustellen, ist zum Beispiel nicht ganz einfach. Auch ein guter Biskuitboden bedarf einiger Aufmerksamkeit und Sorgfalt. Aber selbstgemacht schmeckt eben so viel besser als fertig gekauft, dass ich Zeit und Mühe gerne in Kauf nehme – zumal ich den Triumph genieße, wenn ich wieder mal ein gelungenes Kunstwerk auf die Kaffeetafel bugsiere und Komplimente einheimse … Zum guten Gelingen der süßen Köstlichkeiten gibt es viele Tipps und Tricks, die ich in diesem Back-Ratgeber in alphabetischer Reihenfolge zusammengefasst habe.

A

Geschnittene **Äpfel** werden nicht braun, legt man sie nach dem Schälen kurz in Salzwasser. Das beeinträchtigt den Geschmack nicht.

Apfelkuchen erhält eine feine Note, wenn Sie frischgehackten Ingwer oder Chutney unter das Obst ziehen. Und er wird richtig saftig, wenn man ihn beim Backen mit geöltem Pergamentpapier abdeckt. Wenn nur Erwachsene am Tisch sitzen: Ein Schuss Calvados, 5 Minuten vor dem Ende des Backens auf den Apfelkuchen gegossen, gibt einen besonderen Pfiff.

B

Backbleche, die man vor dem Einfetten kurz in den vorgeheizten Backofen stellt oder auf der Rückseite mit heißem Wasser abspült, lassen sich einfacher und sparsamer bestreichen.

Backhefe lässt sich gut auf Vorrat einfrieren. Sie bleibt dann ca. 3 Monate lang frisch und behält ihre Treibkraft. Zum Auftauen einfach in der im Rezept angegebenen warmen Flüssigkeitsmenge auflösen.

Backofenhitze lässt sich sehr rasch senken. Einfach die neue Gradzahl einstellen, ein hitzebeständiges Schälchen mit kaltem Wasser füllen und in den Backofen stellen. Nach nur wenigen Minuten ist die gewünschten Temperatur erreicht.

Backpapier verrutscht nicht, wenn man es auf der Rückseite mit ein wenig Fett betupft.

Baiserhauben lassen sich einfach schneiden, wenn man die Messerklinge einfettet oder in kochendes Wasser taucht, so dass der Eischnee nicht daran hängenbleibt.

Berliner (Krapfen) gehen besser auf, wenn sie erst in der geschlossenen Friteuse und nach dem Wenden offen ausgebacken werden.

Biskuitteig, der beim Backen unregelmäßig aufgegangen ist, kann mit einem Holzbrett wieder flachgedrückt werden. Dazu wird er mit einem Buch beschwert und einige Minuten beiseitegestellt. Biskuitböden teilt man mit einem Zwirnsfaden. Man legt dazu den Faden in eine kleine Kerbe und zieht ihn dann über Kreuz zusammen.

Biskuitböden, die zerbrochen sind, kann man mit etwas verquirltem Eiweiß wieder zusammenkleben. Die Böden fallen nach dem Backen nicht in sich zusammen, wenn man die mit rohem Teig gefüllte Form vor dem Backen aus ca. 10 cm Höhe auf die Arbeitsplatte fallen lässt. Für Biskuitböden sollte man immer nur den Boden der Springform einfetten, sonst zieht sich der Kuchen vom Rand weg zusammen (er »flieht das Fett«) und wird zu klein. Biskuitrollen kann man ungefüllt etwa sechs Monate einfrieren; gefüllte Rollen etwa vier Monate.

Blechkuchenrezepte kann man gut auch für die Mikrowelle verwenden, wenn man kleinere Portionen auf Porzellanplatten bäckt.

Selbstgebackenes **Brot** bekommt einen raffinierten Geschmack, wenn man je nach Geschmack gehackte Oliven, getrocknete Tomaten, geröstete Nüsse und/oder Kräuter wie Thymian mit in den Teig gibt.

Butter, die für den Rührteig zu kalt ist, sollte nicht erhitzt werden. Stattdessen kann man sie mit einer Raspel in die Rührschüssel reiben oder die Schüssel vorher mit heißem Wasser ausspülen.

Buttercreme gerinnt nicht, wenn man die Hälfte der angegebenen Menge vorher mit Pudding aufkocht. Wird Buttercreme flockig, kann man sie unter Zugabe von Sahnesteif wieder schön cremig rühren. Geronnene Buttercreme kann man retten, indem man die Rührschüssel in kochendes Wasser stellt. Geschmolzenes Kokosfett, tröpfchenweise unter die Buttercreme gerührt, verhindert, dass die Masse zu weich wird und macht sie schnittfest.

C

Cremetorten schneidet man am besten mit einem Keramikmesser in Stücke. Durch die scharfen Klingen entstehen glatte Schnittflächen.

Crêpes werden luftiger und knuspriger, rührt man den Teig mit Magermilch und Mineralwasser an.

Croissants schmecken gefüllt noch besser! Man schneidet aufgebackene Croissants auf, bestreicht sie mit Pflaumenmus und setzt sie wieder zusammen.

D

Desserts sehen mit bunter Sahne noch leckerer aus. Man kann zum Beispiel Kakao- oder Milchmixpulver mit Erdbeergeschmack unter die Schlagsahne rühren und schon ändern sich Farbe und Aroma.

Donauwellen kann man auch mit Sauerkirschen aus dem Glas bzw. mit Aprikosen- oder Pfirsichhälften aus der Dose problemlos backen.

E

Eidotter für Kuchenteig sollte immer unter Zugabe von etwas Essig schaumig geschlagen werden.

Eier zum Backen schlägt man zunächst in ein separates Gefäß und überprüft, ob sie einwandfrei sind, bevor man sie an den Teig gibt. Wischt man die Eierschalen kurz mit dem Finger aus, spart man auf 6 Eier ungefähr die Eiweißmenge eines weiteren Eis anstatt sie einfach wegzuwerfen.

Eierlikör gibt normalen Sandkuchen den letzten Pfiff und ein gutes Aroma; einfach einen Schuss unter den Teig rühren.

Eigelb, das beim Backen übriggeblieben ist, hält sich bis zu zwei Tage frisch, wenn man es mit etwas Wasser oder Milch bedeckt im Kühlschrank aufbewahrt.

Eischneehauben von Kuchen und Torten sollte man vor dem Backen mit etwas Zucker bestreuen. Sie lassen sich dann später besser schneiden.

F

Fertigteige aus angebrochene Packungen sollte man immer gleich verbrauchen, weil sie ziemlich schnell austrocknen und dann nicht mehr zu gebrauchen sind.

Früchte für Obstkuchen bleiben in Form, wälzt man sie nach dem gründlichen Abtropfen in Puderzucker, bevor man sie auf den Teig legt.

Früchtekompott wird mit einer Blätterteigdecke zum dekorativen Nachtisch. Dazu gibt man die Früchte in eine feuerfeste Form, legt den Blätterteig auf, bepinselt den Teig mit Butter und backt das Ganze. Vor dem Servieren mit Puderzucker bestreuen.

G

Garnierungen mit Puderzucker wirken besonders dekorativ, wenn man sich Papierschablonen mit verschiedenen Motiven zuschneidet und auf den Kuchen legt. Nach dem Bestäuben die Schablonen vorsichtig wieder abnehmen.

Gebäck bekommt eine zarte Kruste, streut man die gefettete Backform mit etwas Mehl aus.

Glasur für Torten immer auf deren Mitte gießen. Den Kuchen schräg halten und drehen, damit der Guss auf der Oberfläche und am Rand gleichmäßig verläuft. So wird die Glasur schön gleichmäßig. Glasuren aus Kuvertüre oder Zuckerguss gelingen wesentlich gleichmäßiger, wenn der Kuchen vorher dünn mit erwärmter Konfitüre bestrichen wird.

H

Hefeteig wird lockerer, wenn man die Hefe mit Buttermilch anrührt. Hefeteig für Blechkuchen lässt sich leichter ausrollen, wenn man ihn nach dem Aufgehen für etwa 60 Minuten in den Kühlschrank legt. Hefeteig geht sehr schnell auf, stellt man ihn für 8 Minuten bei 90 Watt zugedeckt in die Mikrowelle.

Hefezopf schmeckt fast eine Woche lang wie frisch gebacken, wenn man vor dem Backen einen Löffel Speisequark unter den Teig knetet.

K

Kakao klumpt nicht beim Einrühren in Milch oder Wasser, wenn Sie das Kakaopulver vorher mit etwas Zucker vermengen.

Kaltes Soufflé, welches nicht fest geworden ist, kann man tiefkühlen und als halbgefrorenes Dessert servieren.

Kastenkuchen reißt beim Backen dekorativ auf, wenn man den Teig der Länge nach mit einem dünnen Streifen Zucker bestreut.

Käsekuchen erhält ein besonderes Aroma, wenn man einen Schuss Rum unter die Quarkmasse rührt.

Kindertorten lassen sich ganz schnell aus mehreren übereinandergelegten süßen Pfannkuchen herstellen, die man schichtweise mit Sahnequark und Früchten belegt.

Kiwis als Tortenbelag kann man mit dem Eischneider schnell und sauber in schön gleichmäßige Scheiben teilen.

Klebrigen Obstsaft im Backofen sollte man sofort dick mit Salz bestreuen, dann brennt der Saft nicht ein und lässt sich später besser wegwischen.

Knetteig bleibt nicht an den Händen kleben, wenn man sie vorher mit einigen Tropfen Öl einreibt. Wenn er schon an den Händen klebt: Hände mit Mehl »waschen«, also aneinanderreiben.

Kokosfett, welches man geschmolzen tröpfchenweise unter → Buttercreme rührt, verhindert, dass die Masse zu weich wird und macht sie schnittfest.

Kokosflocken erhalten ein intensiveres Aroma, röstet man sie zunächst ohne Fett goldbraun an.

Kuchen, den man mit einer Marzipanhülle überziehen möchte, bekommt glatte Ränder, wenn man mit einem gradwandigen Glas mehrmals über die Masse rollt. Damit das Marzipan nicht daran hängenbleibt, sollte man das Glas vorher gründlich mit Stärkemehl bestäuben. Zum Auskühlen muss Kuchen unbedingt auf einen Kuchenrost gesetzt werden, weil der Boden sonst durch das Kondenswasser weich und labbrig wird.

Kuchenglasur deckt und verteilt sich besser, wenn man zum Anrühren heißes Wasser verwendet.

Kuchenteig steigt nicht mehr an den Knethaken des Rührgeräts hoch, wenn man diese zuvor mit etwas Speiseöl einreibt.

Kuchenteile, die beim Stürzen in der Backform hängengeblieben sind, löst man vorsichtig mit einem Messer und klebt sie mit leicht erwärmter Aprikosenkonfitüre wieder an. Bruchstellen lassen sich mit Puderzuckerguss verdecken.

Kuvertüre verteilt sich am einfachsten bei einer mittleren Temperatur. Man sollte nur zwei Drittel der benötigten Menge im heißen Wasserbad schmelzen und unter Rühren den fein gehackten Rest zufügen.

L

Linzer Torten schmecken mit Walnüssen noch besser als mit Haselnüssen. Die Walnüsse sollten frisch gemahlen werden.

Luftlöcher im Kuchenteig sind unangenehm. Sie bilden sich durch kleine Mehl- oder Stärkeklümpchen. Wenn man das Mehl, das Backpulver und die Speisestärke vor dem Verwenden siebt, entstehen diese Löcher nicht.

M

Magerquark ist eine kalorienarme Alternative zu Butter. Für lockere Kuchen kann man einen Teil des Fetts durch die doppelte Menge Magerquark ersetzen.

Marmorkuchen wird besonders mürbe, wenn man 2 Esslöffel Salatöl unter die Kakaomasse rührt. Marmorkuchen kann man mit einem Guss aus Puderzucker, Instant-Kaffeepulver und warmem Wasser verzieren. Der fertige Guss sieht appetitlich aus und schmeckt sehr gut.

Mineralwasser statt Milch eignet sich besonders gut für alle Teigsorten.

Mohn sollte man immer erst kurz vor dem Gebrauch mahlen, da er stark fetthaltig ist und dadurch schnell ranzig werden kann.

Mürbeteig wird schön locker, wenn man die Eier mit Zitronensaft verquirlt. Mürbeteig, der zu brüchig ist, verknetet man mit in Eigelb angerührtem Puderzucker. Er wird dadurch geschmeidiger und lässt sich einfacher verarbeiten. Mürbeteig kann man auch auf einer mit Weizenkleie bestreuten Arbeitsplatte ausrollen, dadurch bekommt er zusätzlich gesunde Ballaststoffe. Mürbeteig erhält eine schöne goldgelbe Farbe, rührt man etwas Eierlikör unter. Mürbeteig wird besonders zart, wenn man nur das Eigelb verwendet. Gibt man noch ein paar gehackte Mandeln zum Teig, wird er schön luftig. Mürbeteig wird geschmeidiger, wenn man zusätzlich einen Esslöffel Magerquark unterhebt.

N

Napfkuchen müssen ganz langsam und gründlich gehen. Die Form darf höchstens zu drei Vierteln gefüllt sein. Günstig sind dickwandige Formen; sie verhindern, dass die Kruste zu dunkel wird. Napfkuchen wird besonders knusprig, wenn man die Form mit Fett einreibt und mit Zucker ausstreut.

Nusskuchen schmeckt viel saftiger, rührt man einen geriebenen Apfel unter den Teig.

O

Obst, welches für den Belag geschnitten werden muss, wird an der Luft nicht braun, wenn man es an den Schnittflächen mit etwas Zitronensaft beträufelt.

Obstkuchen mit Tortenguss sollte man nach dem Erkalten mit etwa Obstbrand oder Likör bestreichen. Der Kuchen glänzt dadurch und bekommt mehr Aroma. Obstkuchen weichen nicht durch, wenn man den Biskuitboden mit einer hauchdünnen Schicht Zartbitterkuvertüre bzw. mit einer dünnen Schicht Nuss-Nougat-Creme überzieht oder mit Kokosraspeln bestreut, bevor man sie mit den saftigen Früchten belegt.

P

Pralinen und Schokotrüffel sind exzellente Tortenverzierungen. Man kann sie entweder ganz oder in feine Scheiben geschnitten auf Sahnehäubchen setzen.

Puderzucker selbst herstellen: Gewöhnlichen Zucker bringt man zwischen zwei Servietten und bügelt mit einem mäßig warmen Bügeleisen einige Male darüber, bis der Zucker vollständig zu Pulver geworden ist.

Q

Quark-Öl-Teig geht beim Backen um etwa ein Drittel auf. Deshalb Kleingebäck immer mit genügend Abstand auf das Blech legen.

Quarktorten werden luftiger und schnittfester, wenn man sie nicht mit raffiniertem, sondern mit Gelierzucker süßt. Quarktorten lassen sich statt mit Gelatine auch mit Wackelpeter-Pulver zubereiten. Dazu löst man es einfach in zwei bis drei Esslöffel Wasser auf und rührt es anschließend unter die Quarkcreme.

R

Rosinen und Mandeln verteilen sich gleichmäßig im Kuchenteig und sinken nicht zu Boden, wenn man sie zuvor mit etwas Mehl verrührt. Sie werden erst zuletzt in den Teig gegeben.

Rosinen bleiben beim Backen saftiger, wenn man sie zuvor 10 Minuten lang in lauwarmem Wasser einweicht und dann mit Küchenpapier trockentupft. Rosinen schmecken aromatischer, legt man sie vorher in Rum, Amaretto, Kirschlikör oder Apfelsaft ein.

Rührkuchen hält sich länger frisch und wird saftiger, verrührt man etwa 100 g geriebene Zucchini mit unter den Teig. Der Geschmack des Kuchens ändert sich nicht!

Rührteig, der zu süß geworden ist, lässt sich mit einem kleinen Löffel Apfelessig retten. Außerdem bekommt der Kuchen dadurch ein fruchtiges Aroma.

Rum ist eine gute Alternative, wenn man einen Kuchen backen will, aber kein Backpulver zu Hause hat. Alkohol treibt den Teig fast so wie Backpulver.

S

Sandkuchen werden schön luftig, streicht man Mehl zusammen mit Speisestärke durch ein feines Sieb, bevor man beides einrührt.

Schlagsahne wird schnell steif, wenn man während des Schlagens einige Tropfen Zitronensaft (5 Tropfen auf 200 ml Sahne) hineingibt und wenn man das Gefäß und die Rührstäbe des Handmixers vor dem Schlagen ins Tiefkühlfach legt. Zucker (am besten Puderzucker) oder Süßstoff immer erst am Ende hinzugeben und ganz kurz einrühren.

Schmalzgebäck aus der Friteuse bekommt eine kräftigere Farbe, gibt man eine geschälte rohe Möhre mit ins heiße Fett.

Schokoglasuren werden schön glatt, wenn die Torte schräg gehalten und dann flüssige Kuvertüre spiralförmig auf die Oberfläche gegeben wird. Durch leichtes Drehen in ständiger Schräglage verteilt sich der Guss wie von selbst.

Schokolade für Tortenguss schmilzt man besser im Wasserbad oder in einer feuerfesten Keramikform bei 50–80 °C im Backofen, da sie im Kochtopf auf dem Herd zu heiß wird und nicht mehr glänzt.

Schokoraspeln kann man selber machen, indem man mit einem Sparschäler von einer Schokoladentafel feine Späne abhobelt.

Sherry verfeinert Teig und Cremespeisen. Zum Backen kann man ruhig die preiswerteren süßen Sorten verwenden.

Sirup oder Honig kann beim Backen den normalen Zucker ersetzen. Allerdings muss man dann die im Rezept angegebene Flüssigkeitsmenge etwas reduzieren.

Streusel werden besonders gut, wenn man sie aus flüssiger, gebräunter Butter, Mehl und einer Zimt-Zucker-Mischung knetet.

Streuselkuchen kann man im Geschmack variieren, indem man bei der Zubereitung der Streusel einen Teil des Mehls durch fein gemahlene Mandeln oder Haselnüsse ersetzt.

Strudelteig wird elastischer und reißt nicht so schnell, bereitet man ihn ohne Ei zu.

T

Werden **Teige** direkt auf dem Backblech ausgerollt, legt man einfach ein feuchtes Küchentuch unter das Blech, um das Wegrutschen zu verhindern.

Tiefgefrorene Erdbeeren werden beim Auftauen nicht matschig-weich, übergießt man sie vorher mit warmem Zuckerwasser.

Tortenguss streicht sich schön gleichmäßig, wenn man den Löffel vorher in heißes Wasser taucht.

V

Vanillepudding für Kuchenfüllungen kann man prima mit etwas Eierlikör verfeinern, den man unter den leicht abgekühlten Pudding zieht.

Vanillezucker lässt sich auch selber machen. Dazu lässt man eine längs halbierte Vanilleschote mit Zucker in einem verschlossenen Glas ziehen. Der Zucker nimmt das Vanillearoma in wenigen Tagen an.

Vollkornteig sollte man nach dem gründlichen Kneten immer eine Weile ruhen lassen, damit das Mehl ausquellen kann.

W

Waffeln vom Vortag werden wieder herrlich knusprig, backt man sie bei 180 °C im Backofen 4–5 Minuten lang wieder auf.

Z

Zäher Teig bleibt nicht an den Händen kleben, wenn man sie vorher in kaltes Wasser taucht.

Zuckerglasur wird schön weiß und cremig, wenn man sie mit Milch statt mit Wasser oder Zitronensaft anrührt.

Zuckerguss bricht nicht, wenn man das Messer vor dem Schneiden leicht einfettet.
Zuckerguss wird rosa, verrührt man die Puderzucker-Wasser-Mischung mit etwas Kirsch- oder Rote-Beete-Saft. Das ist gesünder als Lebensmittelfarbe.

Thymian und Zitronengras

Das Einmaleins der Kräuter- und Gewürzküche

Um beim Kochen von Suppen, Nudelgerichten oder Braten und beim Anrichten von Salaten richtig zu glänzen, sind Kräuter unerlässlich. Am besten entwickeln sie ihren Geschmack, wenn sie frisch aus dem Garten kommen. Aber im Notfall darf es ruhig mal ein Trockenkraut sein. Der Geschmack getrockneter Kräuter ist konzentrierter, da den Kräutern Wasser entzogen wurde. Ein Teelöffel Trockenkraut entspricht ungefähr einem Esslöffel frischen Kräutern.

Für die erste Erwähnung von Kräutern und Gewürzen in der Küche gibt es viele Quellen. Den Ursprung der Kräuterküche findet man im chinesischen, indischen und südostasiatischen Raum. Nach Europa drangen die orientalischen Gewürze vor etwa tausend Jahren vor, als die tägliche Speisenmenge und -auswahl recht karg war und kostspielige exotische Pülverchen die einzigen Mittel waren, das Essen zumindest bei Hofe interessanter schmecken zu lassen.

Die richtige Handhabung von Küchenkräutern und -gewürzen wird Ihnen auf den folgenden Seiten erklärt. Welche Kräuter und Gewürze im eigenen Garten gedeihen und welche Bedeutung Kräuter in der Medizin haben, können Sie in den Kapiteln Gartenarbeit *und* Gesundheit *lesen.*

Aufbewahrung

Frische Kräuter werden getrennt in Küchenpapier gewickelt, in eine Plastiktüte gegeben und ins Gemüsefach des Kühlschranks gelegt.
Getrocknete Kräuter sind licht- und luftempfindlich und müssen daher trocken und dunkel gelagert werden. Wenn Sie die Kräuter unzerkleinert kaufen und aufbewahren, hält sich das Aroma am besten. Oder Sie zerkleinern die Kräuter, portionieren sie in kleine Schälchen oder Eiswürfelformen und bewahren sie im Eisfach auf.

Anwendung

Jedes Land hat seine eigene Tradition in der Anwendung von Kräutern und Gewürzen: Zitronengras und Koriander finden sich in fast jeder asiatischen Speise, die Engländer mögen Salbei zum Schweinefleisch und Lamm mit Minze, im Nahen Osten kommt an Lamm Oregano, Minze und Dill und die Italiener benutzen gerne Basilikum und Rosmarin. Wir Deutschen verzichten bei der Hausmannskost ungern auf Bohnenkraut und Liebstöckel, was im übrigen Europa schier unbekannt ist. Wenn Sie in Kochbüchern

einem *Bouquet garni* begegnen, ist ein Kräutersträußchen bestehend aus Petersilie, Thymian, Lorbeer, oft auch Rosmarin, Sellerie, Majoran und Bohnenkraut gemeint, dass man zum Würzen von Suppen und Eintöpfen nutzt und nach dem Kochen aus den Töpfen entfernt wird.
Leider sehr gebräuchlich unter den deutschen Laien-Köchen sind fertige Gewürzmischungen mit Inhalten, die nur sehr entfernt etwas mit Kräutern zu tun haben. Ich jedenfalls mag frische Kräuter lieber. Aber jeder solls so machen, wie's ihm gefällt! Ich verwende die Blüten, Samen, Blätter, Rinden und Wurzeln der verschiedenen Kräuter wie folgt in meiner Küche:

Kräuter/Gewürze	Anwendungsform	Verwendung
Anis	Blätter: frisch und gemahlen; Samen: frisch und gemahlen	Der süßliche Samen passt gut zu Backwaren und ist ein leckerer Likörzusatz.
Basilikum	Frisch und getrocknet	Für die italienische Küche unverzichtbar: Salate, Nudelgerichte (Pesto!), kalte Gerichte, Saucen.
Bohnenkraut	Frisch und getrocknet	Die gehackten Blattspitzen passen zu Eintöpfen und Salaten, Hammel und Lamm.
Borretsch	Frisch und getrocknet	Blüten und Blätter werden für Saucen, Salate und Kräuteressig genutzt; auch zum Würzen von Joghurt und Frischkäse.
Cayennepfeffer	Meist in Pulverform	Dieser Pfeffer aus einer Chilischote ist sehr scharf und sollte sparsamst eingesetzt werden. Passt zu hellen Saucen, Currygerichten, Suppen und Eintöpfen sowie zu Räucherfisch und Garnelen.
Currypulver	Pulverform	Milde bis sehr scharfe Mischung aus verschiedenen Gewürzen für asiatische Geflügel-, Fleisch- und seltener auch Fischgerichte.
Dill	Frisch, getrocknet und als Dillsamen	Bekannt als Fisch-, Salat- und Gurkeneinmachgewürz. Schmeckt in Suppen, Saucen und Eiergerichten.
Estragon	Frisch, getrocknet oder in Pulverform	Wird in der französischen Küche gerne für die Zubereitung von Suppen, Fisch und Salaten verwendet.

Fenchel	Blätter und Knollen frisch; selten getrocknet und als Fenchelsamen	Blätter werden für Salate und Fisch genutzt, Knollen als Gemüse gekocht, auch als Beilage zu Fisch oder als Süßspeise mit Orangen.
Ingwer	Knolle frisch oder gemahlen	Wird in der indischen und orientalischen Küche oft verwendet. Hat einen erfrischenden, etwas scharfen Geschmack, der auch gut in Backwaren zur Geltung kommt.
Kardamon	Kapseln und Samen: frisch und gemahlen	Ein unerlässliches Gewürz in der indischen Küche.
Kerbel	Frisch und getrocknet	Schmeckt frisch am besten in Salaten, Suppen, Frischkäse, Füllungen und zu Fisch.
Knoblauch	In meiner Küche nur frisch!	Diese Knolle ist aus meiner Küche nicht wegzudenken. Sie ersetzt nicht nur oft die Zwiebel, sondern gibt Fleisch, Gemüse und Fisch den richtig herzhaften Geschmack.
Koriander	Blätter: frisch und gemahlen; Samen: Bestandteil des Currygewürzes; Wurzeln: frisch	Blätter werden vorwiegend in der südamerikanischen und asiatischen Küche verwendet; die Samen benutzt man zur Herstellung von alkoholischen Getränken und die Wurzeln werden in Asien zum Kochen von Currygerichten genutzt.
Kreuzkümmel	Ganz und gemahlen	Kommt aus der nordafrikanischen Küche und wird für Lamm- und Rinderbraten, aber auch für Hackfleisch benutzt.
Kümmel	Samen getrocknet	Ein Gewürz, das in Kartoffel- und Kohlgerichten, aber auch in verschiedenen Backwaren nicht fehlen darf.
Liebstöckel	Blätter, Wurzeln und Samen: frisch und getrocknet	Die gesamte Pflanze ist in der Küche nutzbar. Stengel und Wurzel dienen als Bleichsellerie-Ersatz. Blätter, Wurzeln und Samen schmecken in Eintöpfen (hervorragend im Kartoffeleintopf), Suppen und Saucen. Mit dem Samen werden Backwaren gewürzt.

Lorbeer	Frisch im Mittelmeerraum, getrocknet und in Pulverform bei uns	Pflanzenblätter würzen Eintöpfe, Suppen, weiße Saucen, aber auch Milchpuddings.
Majoran	Frisch und getrocknet	Eier- und Kartoffelgerichte, Saucen, Hackfleisch, Leber, Suppen und Eintöpfe
Meerrettich	Frisch, getrocknet oder gerieben im Glas oder in der Tube	Achtung, Meerrettich ist frisch extrem scharf. Ist Bestandteil von Saucen und wird als Aufstrich zu Roastbeef und für Räucherlachs gegeben.
Minze	Frisch und getrocknet	Verschiedene Sorten verwendbar für Füllungen, Salate und Getränke; auch für Süßspeisen.
Muskat	Nuss: frisch oder gemahlen; Blüte: gepresst, getrocknet und gemahlen	Ein wunderbares Gewürz zu Kartoffel- und Kohlgerichten. Auch in der asiatischen Küche wird es viel genutzt.
Nelken	Getrocknete Blütenknospen, auch gemahlen	Wintergewürz für Kuchen, Punsch, Süßspeisen, aber auch zum Einmachen von Kürbis und anderen Obstarten.
Oregano	Im Mittelmehrraum frisch, bei uns meist getrocknet	Wird auch wilder Majoran genannt und ist bekannt als Pizzagewürz; passt aber auch zu Bohnen, Auberginen, Tomaten und Gurken. Im Mittelmeerraum werden auch Fleischgerichte damit gewürzt.
Paprika	Bei uns in Pulverform	An einem richtigen Gulasch, Schweine- und Rinderbraten und an Geflügel oder manchen Fischarten darf dieses Pulver nicht fehlen.
Petersilie	Frisch und getrocknet	Die glatten oder krausen Blätter verfeinern nicht nur Saucen und Füllungen, sondern schmecken auch zu Fisch und garnieren Speisen.
Piment	Ganz und gemahlen	Die getrockneten Beerenfrüchte werden vorwiegend zum Einmachen und zum Kochen von Suppen, Eintöpfen und Braten verwendet.

Rosmarin	Frisch, getrocknet und in Pulverform	In frischer Form legt man Rosmarin Lamm, Huhn und Fisch bei. Getrocknet schmeckt er nicht mehr so kräftig und kann in Suppen und Salaten verwendet werden.
Safran	Ganz und gemahlen	Ein teures, aber köstliches Gewürz. Gibt Fischsuppen, Reis, Kuchen und auch Brot Farbe und Geschmack.
Salbei	Frisch und getrocknet	Füllungen von Schweine- und Geflügelfleisch, zum Kochen von Eintöpfen (vorsichtig dosieren!), Fisch, Lamm- und Kalbfleisch geeignet.
Schnittlauch	Frisch und getrocknet	Das Zwiebelgewächs wird fein geschnitten zu Salaten, Eiergerichten, Quark und Frischkäse gegeben.
Thymian	Frisch und getrocknet	Die Blätter sind sehr würzig, daher vorsichtig dosiert bei der Zubereitung von Suppen, Eintöpfen, Braten und Geflügel, aber auch von Hackfleisch verwenden.
Wacholder	Getrocknet, selten gemahlen	Die Beeren kommen vorwiegend als Gewürz zu Wild- und Schweinefleisch zur Geltung, aber auch in Sauerkraut und Eingemachtem.
Zimt	Ganze Stangen, Rinde oder gemahlen	Wird besonders für Backwaren und Süßspeisen genutzt. Auch in Reis- und asiatischen Fisch- und Fleischgerichten.
Zitronengras	Meist getrocknet in Asienläden erhältlich	Verschiedene Grasarten aus Südostasien werden unter diesem Namen zusammengefasst. In ihren Halmen ist Zitrusöl, dass in der asiatischen Küche hervorragend zu Salaten, Fischgerichten und Vorspeisen passt.
Zitronenmelisse	Frisch und getrocknet	Salate aus Obst und Gemüse, Suppen und Saucen, vorzüglicher Erfrischungstee im Sommer

Wer schon beim Lesen dieses Buches am Kochtopf steht und ganz schnell wissen will, welches Gewürz oder welche Kräuter zu seinem Essen passen, dem sei mit dieser Kurzfassung geholfen.

Achtung! Weniger ist in der Kräuter- und Gewürzküche meist mehr!!!

Backwaren:
Anis, Ingwer, Kardamon, Liebstöckelsamen, Nelken, Safran, Zimt

Süßspeisen:
Anis, Fenchel, Ingwer, Lorbeer, Minze, Nelken, Safran, Zimt, Zitronenmelisse

Fisch:
Cayennepfeffer, Currypulver, Dill, Estragon, Fenchel, Kerbel, Knoblauch, Lorbeer, Meerrettich, Paprika, Petersilie, Piment, Rosmarin, Safran, Salbei, Zitronengras

Fleischgerichte (Schwein, Wild, Rind, Lamm und Kalb):
Bohnenkraut, Cayennepfeffer, Currypulver, Knoblauch, Kreuzkümmel, Lorbeer, Majoran, Meerrettich, Oregano, Paprika, Piment, Rosmarin, Salbei, Thymian, Wacholder

Geflügel:
Cayennepfeffer, Currypulver, Estragon, Kardamon, Knoblauch, Koriander, Paprika, Rosmarin, Salbei, Thymian, Zitronengras

Suppen, Saucen und Eintöpfe:
Basilikum, Bohnenkraut, Borretsch, Cayennepfeffer, Currypulver, Dill, Estragon, Ingwer, Kerbel, Knoblauch, Liebstöckel, Lorbeer, Majoran, Paprika, Petersilie, Piment, Rosmarin, Safran, Thymian, Zitronenmelisse

Salate und Vorspeisen:
Basilikum, Bohnenkraut, Borretsch, Dill, Estragon, Fenchel, Kerbel, Knoblauch, Minze, Oregano, Petersilie, Schnittlauch, Zitronengras, Zitronenmelisse

Italienische Küche:
Basilikum, Knoblauch, Lorbeer, Oregano, Rosmarin, Salbei, Thymian

Exotische Küche (orientalische, asiatische und südamerikanische):
Cayennepfeffer, Currypulver, Nelken, Ingwer, Koriander, Kreuzkümmel, Minze, Muskat, Paprika, Safran, Zimt, Zitronengras

Sommer, Sonne, Grillzeit

Die besten Tipps rund ums Grillen

Sommerzeit ist Grillzeit. Eine Grillparty ist angesagt! Wer freut sich nicht auf einen schönen Sommerabend im Kreise von Freunden und ein Essen im Freien?

Was muss man dabei bedenken und beachten? Meine Ratschläge und Tipps beantworten viele Fragen zum Thema Grillen und tragen garantiert zum Gelingen eines sommerlichen Schlemmerfestes bei.

Welches Fleisch eignet sich zum Grillen?

Zum Grillen eignen sich magere oder leicht fettdurchzogene, **ungepökelte** Fleischstücke.

Vom *Schwein* eignen sich: Schnitzel, Koteletts, Nackenstücke, Rippchen und Filets. Aus diesen Fleischpartien sowie aus Schulter- und Schinkenstücken bereitet man auch den beliebten Spießbraten zu.

Vom *Rind* werden vor allem Steaks in vielen Variationen gegrillt: Hüft-, Rumpf- oder Lendensteaks.

Wenn es etwas besonderes sein soll, bieten sich *Lammkoteletts* an.

Geflügel wird sowohl im Ganzen wie auch als Teilstück (Schenkel und Brüste) gegrillt.

Auf dem Speisezettel für das Grillfest dürfen natürlich die *Brat- und Grillwürstchen* sowie das Schaschlik nicht fehlen. Diese Fleischwaren werden aus Schweine-, Rind- oder Lammfleisch, seltener aus Geflügel hergestellt.

Kalbfleisch und *Wildfleisch* eignen sich **nicht** gut zum Grillen. Sie werden schnell trocken und verlieren an Geschmack.

Es darf auch gern mal Fisch sein!

Auch *Fische* eignen sich sehr gut zum Grillen, wenn man sie richtig präpariert, d.h. notfalls in Alufolie wickelt, damit sie nicht im wahrsten Sinne des Wortes durch den Rost fallen; mit Kräutern gewürzt, schmecken sie sehr aromatisch. Für den Grill eignen sich besonders Forelle, Lachs, Makrele, Seezunge, Steinbutt, Hering und Thunfischkoteletts.

Auch Obst und Gemüse kann man grillen!

Gegrilltes Gemüse ist eine gute Ergänzung zu Fleisch – für Vegetarier auch ein vollwertiger Ersatz. Gemüse kann als Ganzes oder in Stücke geschnitten, mariniert, in Öl oder auch roh auf den Grill gelegt werden. Am besten schmeckt Grillgemüse, wenn es vorher eingelegt wird, z. B. mit Olivenöl, Knoblauch, Pfeffer, Salz, Oregano, Basilikum, Rosmarin usw. Der Phantasie sind dabei keine Grenzen gesetzt. Am besten eignen sich Paprika, Tomaten oder Auberginen. Auch Kartoffeln, Maiskolben, Pilze und Karotten lassen sich hervorragend grillen.

Obst mit festem Fruchtfleisch
wie Äpfel, Birnen, Bananen, Pfirsiche oder Aprikosen schmecken vom Grill einfach phantastisch. Das Obst kann man vor dem Grillen in Stücke schneiden, in Alkohol und Gewürzen einlegen (Nelken, Vanille, Zimt, Muskat) und auf Spieße stecken. Ganze Bananen legt man einfach ungeschält auf den Grill, bis die Schale schwarz ist. Sie schmecken dann besonders aromatisch.

Schafskäse
sollte vor dem Grillen immer mit ein paar Tropfen Olivenöl und Kräutern bestrichen werden. Den Käse nie direkt aufs Feuer legen, sondern immer in Silberfolie eingewickelt.

Grillgut
Achten Sie beim Einkauf auf gleichmäßig geschnittene Fleischstücke, damit sie gleichzeitig gar werden. Fett und Sehnenränder am Rand sollte man gut einschneiden, damit sich die Fleischstücke in der Wärme nicht krümmen. Wenn das Fleisch eine schöne Kruste bilden soll, muss es zum Grillen trocken, das heißt, nicht eingelegt sein. Andererseits erhält das Grillgut durch Einlegen in Gewürze oder Marinade ein zusätzliches Aroma. Salzen sollte man Fleisch allerdings stets erst nach dem Grillen. Sonst tritt das Wasser zu schnell aus, und das Fleisch wird trocken.

Welches Fett eignet sich zum Grillen?
Ohne zusätzliches Fett zu grillen ist natürlich viel gesünder. Allerdings verbessert etwas Fett bei sehr magerem Grillgut den Geschmack. Zu bedenken ist auch, daß sich der Fettgehalt der gegrillten Speisen durch den Austritt von geschmolzenem, fleischeigenem Fett automatich verringert. Wird Fleisch vor dem Grillen z. B. mit etwas Öl bestrichen, verstärkt dies das Aroma und den Geschmack von Kräutern und Gewürzen und verhindert, dass das Fleisch zu trocken wird. Es eignen sich aber nur Fette und Öle, die auch hohen Temperaturen standhalten können und sich nicht zersetzen, z. B. Erdnuß-, Sonnenblumen, Distel- oder Olivenöl. Butter und Margarine sind vollkommen ungeeignet zum Grillen.

Ist Grillen gesundheitsschädlich?
Beim Grillen können tatsächlich chemische Verbindungen entstehen, die als krebserregend gelten. Die Entstehung dieser Stoffe lässt sich aber durch sachgerechten Umgang mit dem Grill und durch die richtige Auswahl der Zutaten weitgehend vermeiden.

Also keine Angst vor einem erhöhtem Gesundheitsrisiko. Jeder darf so oft Gegrilltes zu sich nehmen, wie er mag oder wie er vertragen kann. Da die Vorbereitungen des Grillvergnügens doch recht aufwendig sind und Grillen im Freien von sommerlichen Temperaturen abhängt, bleibt die Häufigkeit meist von allein auf ein erträgliches Maß begrenzt und trägt dazu bei, dass Grillen keine alltägliche Garmethode wird.

Darf gepökeltes Fleisch gegrillt werden?
Nitritpökelsalz wird bei der Herstellung vieler Fleischwaren, wie z.B. bei Kasseler Kotelett, verwendet. Das Fleisch erhält durch diese Behandlung eine appetitliche Rotfärbung sowie das typische Pökelaroma und bleibt länger haltbar.

Zum Grillen allerdings sind die mit Nitritpökelsalz hergestellten Fleischwaren weniger gut geeignet.

Bei hohen Temperaturen reagiert das Nitrit und es kann zum Austritt krebserregender Stoffe kommen. Aus diesem Grund ist von gepökeltem Fleisch zum Grillen abzuraten.

Worauf ist beim Holzkohlengrill zu achten?

Ein gelungenes Grillfest ohne Katastrophen beginnt schon mit der Auswahl des Grillgerätes. Es muss standfest sein, darf keine scharfen Ecken und Spitzen aufweisen und man muss darauf achten, dass es das »GS«-Zeichen trägt. Nur Geräte, deren Sicherheit von herstellerunabhängigen Prüfstellen bestätigt wurden, tragen dieses Zeichen. Der Rost des Grills sollte höhenverstellbar sein, damit die Hitze reguliert werden kann. Ein Windschutz ermöglicht, dass die Glut ruhiger brennt und die Asche nicht hochgewirbelt werden kann.

Welche Brennmaterialien sollten verwendet werden?

Holzkohlengrills werden, wie der Name schon sagt, mit Holzkohle oder Holzkohlebriketts angeheizt. Die Holzkohle ist preiswerter, aber sie glüht auch schneller aus. Holzkohlebriketts brauchen länger, bis sie durchgeglüht sind, glühen dafür aber länger und strahlen eine gleichmäßige Hitze aus. Auf keinen Fall sollten andere Fremdstoffe wie Papier, Kiefernholz oder -zapfen verwendet werden. Das kann zum Freisetzen krebserregender Stoffe führen.

Wie wird der Grill richtig angeheizt?

Holzkohle oder Holzkohlebriketts im Grill zu einer Pyramide aufschichten und Grillanzünder darin verteilen. Mit extralangen Streichhölzern werden die Grillanzünder angezündet. Wenn die Kohle gut brennt, zieht man die Pyramide vorsichtig auseinander, so dass ein gleichmäßiges Glutbett entsteht. Zum Anzünden der Grillkohle nur festen oder flüssigen Grillanzünder verwenden, der im Handel in den verschiedensten Formen angeboten wird. Mit Benzin, Brennspiritus, Terpentin oder ähnlichen Brennstoffen darf die Kohle auf keinen Fall angezündet werden. Die Folge können schwere Verbrennungen durch Stichflammen sein. Ein origineller Trick, wenn das Durchglühen der Holzkohle schnell gehen soll: Legen Sie einen heißen Lötkolben in das Heizmaterial.

Um das Durchglühen der brennenden Kohle zu beschleunigen, muss ihr Sauerstoff zugeführt werden. Hierzu bietet sich die Verwendung eines Blasebalgs an. Hat man diesen nicht zur Hand, reicht es auch, mit einer Zeitung Luft zuzufächern.

Tipps und Tricks

- Grillfleisch und Bratwürste eine Stunde vor dem Grillen aus dem Kühlschrank nehmen – das Aroma entfaltet sich besser und das Fleisch wird saftiger.
- Um die richtige Glut zu erreichen, muss die Holzkohle ca. 1 Stunde vor dem Grillen angezündet werden.
- Die Holzkohle muss vollkommen durchgeglüht sein; sie überzieht sich dann mit einer weißen Schicht.
- Niemals Fleisch auflegen, solange die Kohle noch flammt.
- Stellen Sie den Grill windgeschützt auf.
- Lassen Sie eine Handbreit Abstand von der Glut zum Rost.
- Verwenden Sie nur trockene Holzkohle und spezielle Grillanzünder.
- Niemals Spiritus, Benzin oder Petroleum zum Feuermachen benutzen
- Grillen Sie in Aluminiumschalen. Direkt auf dem Rost brennen viele Nahrungsmittel zu stark an und werden kohlig schwarz.
- Kinder haben am Grillfeuer nichts zu suchen
- Je dünner Koteletts oder Steaks geschnitten sind, desto schneller sind sie gar und desto kürzer muß man sie der Glut aussetzen.
- Das Fleisch erst auf den Grill legen, wenn auch der mit Öl bestrichene Rost richtig heiß ist. Dann kann nichts ankleben.

- Vermeiden Sie, dass Öl in die Glut tropft.
- Keine Gabel zum Wenden benutzen (Fleischsaft läuft sonst aus), sondern immer eine Grillzange.
- Für Steaks und Rostbraten gilt als Faustregel: pro Zentimeter Fleischstärke 2 Minuten Grillzeit.
- Braten Sie die Bratwürste zuerst, damit sie sich nicht mit den Würzungen der marinierten Steaks vermischen.
- Gegrilltes Fleisch vor dem Aufschneiden ca. 2 bis 3 Minuten ruhen lassen.
- Braten Sie nie auf Vorrat, direkt vom Rost auf den Teller schmeckt es am besten.
- Wenn Sie auf Alufolie beim Grillen verzichten wollen, dann verwenden Sie doch einfach große Gemüseblätter! Kohl- oder Rhabarberblätter verfeinern überdies das Aroma Ihres Grillguts.
- Nehmen Sie beim Nachschütten von Kohle das Grillgut vom Rost.
- Verwenden Sie als Grillgut keine gepökelten Fleischwaren.
- Bei Grillgeräten mit seitlicher Feuerstelle kann kein Fett in die Glut tropfen.

Küchen-Highlights aus dem Aldidente-Schnäppchenplaner von Hagen Rudolph

Hagen Rudolphs jährlich erscheinender *Aldidente-Schnäppchenplaner* präsentiert (jeweils aufgrund der Erfahrungen des Vorjahrs) die günstigen Aldi-Sonderangebote, die es nur ein- oder zweimal jährlich für eine Woche zu kaufen gibt, übersichtlich für das ganze Jahr – und zwar sowohl für die Nordkette als auch für die Südkette von Aldi. Mit ca. 90%iger Wahrscheinlichkeit werden sich die Sonderangebote auch im laufenden Jahr wiederholen.

Für die hier genannten Preise und Informationen wurden Unterlagen aus den Jahren 1999 und 2000 herangezogen. Die Preise sind in DM angegeben. Aufgrund diverser Unwägbarkeiten kann sich der Termin um plus/minus ein bis zwei Wochen verschieben.

Backformen-Set, 8-teilig

bestehend aus; 1 Springform mit Flachboden, Ø ca. 26 cm; 1 Rohrbodeneinsatz, Ø ca. 26 cm; 1 Form für Obsttortenboden, Ø ca. 28 cm; 1 Königskuchenform, ca. 25 cm lang; 4 Tortelett-Formen, Ø je ca. 10 cm, alle Formen innen antihaft-beschichtet.

Aldi-Nord:	Woche 19	11,98
Aldi-Süd:	Woche 36	12,98

Brotback-Automat

für Teigmengen bis 1000 g (Süd: 1.250 g), Gehäuse aus lackiertem Stahlblech, Timer-Funktion, diverse Programme, LED-Display, antihaftbeschichteter Backbehälter und Knethaken, inkl. Messbecher, 2 Jahre Garantie.

Aldi-Nord:	Woche 41	89,–
Aldi-Süd:	Woche 32	99,50

Edelstahl-Schnellkochtopf

Zylindrische Kochtopfform mit ca. 6 Liter Fassungsvermögen, Durchmesser ca. 22 cm, aus 18/10 Edelstahl, außen hochglanzpoliert, innen satiniert, mit 3-stufigem Dampfdruck-Regler und Sandwich-Boden, mit Bajonettverschluss sowie zwei Dünsteinsätzen.

Aldi-Nord:	Woche 41	69,98
Aldi-Süd:	Woche26	79,90

Elektrischer Handmixer

180 Watt Leistung, mit 5 Leistungsstufen und 1 Turboschalter für eine kurzfristige Leistungserhöhung, mit 2 Rührquirlen und 2 Knethaken aus verchromtem Stahl, mit Auswurftaste, Gehäusefarbe Weiß, 12 Monate Garantie.

Aldi-Nord:	Woche 34	17,98
Aldi-Süd:	Woche 31	17,98

Elektrischer Tischgrill

2000 Watt Leistung, Gehäuse aus emailliertem Metall, Maße Gehäuse: L/H/B ca. 60/33,6/11,6 cm, verchromter Grillrost, höhenverstellbar, Betriebskontroll-Leuchte, stufenlos regelbarer Thermostat, Zuleitung ca. 1,40 m, 24 Monate Garantie.

Aldi-Nord:	Woche 24	29,98
Aldi-Süd:	Woche 24	29,9

Kräuter-Sortiment

Einmachgewürz, 500-g-Beutel; Loorbeerblätter, 100-g-Beutel; Majoran, 100-g-Beutel; Basilikum, 100-g-Beutel.

Aldi-Nord:	Woche 21	1,99
Aldi-Süd:	Woche 40	2,59

Küchenmaschine

500 Watt Leistung, mit 9 Hauptfunktionen:; Mixen; Kneten; Hacken; Schnitzeln; Raspeln; Pommes-Frites schneiden; Reiben; Rühren; Entsaften, inkl. umfangreichem Zubehör, 12 Monate Garantie.

Aldi-Nord:	Woche 50	89,98
Aldi-Süd:	Woche 36	79,90

Mikrowellengerät

800 Watt Leistung, mit 9 Leistungsstufen, ca. 20 Liter Garraumvolumen, 60 min. mit Zeitschaltuhr, mit Drehteller, Bedienungsanleitung und Rezeptbuch, Farbe: Weiß, 12 Monate Garantie.

Aldi-Nord:	Woche 48	149,–
Aldi-Süd:	Woche 39	149,–

Mikrowellen-Set, original Jenaer-Glas, 3-teilig

3 Glasschüsseln jeweils mit einem Glas- und Kunststoffdeckel, aus hitzebeständigem Borosilikatglas, mikrowellengeeignet, Glasteile im Backofen verwendbar, spülmaschinenfest.

Aldi-Nord:	Woche 2	14,98
Aldi-Süd:	Woche 39	15,98

Rührschüsseln mit Messkanne

1 Rührschüssel – 2 Liter; 1 Rührschüssel – 3 Liter; 1 Messkanne – 1 Liter, aus Kunststoff, Rührschüsseln in verschiedenen Farbstellungen, Messkanne Transparent.

Aldi-Nord:	Woche 32	4,99
Aldi-Süd:	Woche 36	7,98

Teil 3: Freizeit und Hobbys

Spieglein, Spieglein an der Wand

Körperhygiene muss nicht teuer sein

Körper, Geist und Seele in Einklang bringen? Sich in seiner Haut wohlfühlen? Dazu gehört auch die Kosmetik und die damit verbundene Körperpflege. Durch ein gepflegtes Äußeres erzielt man eine positivere Wirkung auf andere Menschen und stärkt sein eigenes Selbstbewusstsein. Kosmetik muss nicht immer teuer sein, vielmehr bieten sich viele Naturprodukte an, die man ohnehin im Haushalt hat oder relativ günstig im Reformhaus oder im Bioladen bekommt. Meine Tipps und Tricks sollen als Anregung dienen, nicht gleich in die exklusivste Parfümerie zu laufen und teure Cremes zu kaufen, sondern mit wenigen, preiswerten Mitteln aus der Natur gleiche Erfolge zu erzielen.

Haut

- **Mandelkleie** ist eines der ältesten Haut-Reinigungsmittel. Mit Seesandzusatz regt sie die Durchblutung der Haut an und löst gleichzeitig Talgstauungen.
- **Reinigungsmaske:** Für eine Tiefen-Porenreinigung zerkleinert man ungefähr 60 g geschälte Mandeln im Mixer und vermischt sie mit Haselnuss- oder Mandelessenz zu einer dicken Paste. Bevor man die Paste aufträgt, legt man sich einen heißen Waschlappen aufs Gesicht, damit sich die Poren öffnen. Die Maske 15 Minuten auf dem Gesicht belassen und danach mit lauwarmen Wasser gut abspülen.
- **Feuchtigkeitsmaske:** Ein Eidotter und ein TL Mayonnaise werden mit dem Schneebesen gut verrührt. Anschließend die Mischung gleichmäßig im Gesicht auftragen und nach 20 Minuten mit warmem Wasser entfernen. Dann das Gesicht mit kaltem Wasser befeuchten, damit sich die Poren schließen.
- **Für sensible Haut** verwendet man Hautcremes mit Kräuterauszügen (zum Beispiel Kamille).
- **Eine wunderbar weiche Haut** erzielen Sie, wenn Sie sich täglich einige Male mit einer Lösung von je einem Esslöffel Glyzerin, Honig und Zitronensaft waschen, die in einem Liter warmem Wasser gelöst werden.
- **Trockene Haut** spannt durch Waschen mit Seife oft schmerzhaft und wird rissig. Anstatt Seife verwendet man besser Mandelkleie. Und: **Trockene Haut** darf niemals gepudert werden. Man nimmt lieber eine gute Mattcreme.
- **Bei fettiger Haut** helfen heiße Waschungen, heiße Kompressen und Gesichtsdampfbäder.
- **Müde Haut** wird schnell wieder straff und frisch durch den Wechsel von heißen und kalten Kompressen.

- **Bei blassem Aussehen:** Man reibt mit der glatten Fläche des Bimssteins die angefeuchtete Haut sanft ab. Anschließend muss die Haut eingefettet werden.
- Gegen **grobe Poren** ist Zitronensaft das Richtige. Das gewaschene Gesicht ab und zu mit Zitronensaft einreiben.
- Die Bildung von **Runzeln und Krähenfüßen** wird aufgehalten durch das Waschen mit Mandelmilch.
- **Mitessern** kann man vorbeugen, indem man täglich ein halbes Glas Rote-Rüben-Saft löffelweise einnimmt.
- **Hautbräunungsmittel** sind sehr teuer. Man kann als Alternative auch Vaseline-Salbe verwenden.
- **Sommersprossen** verhindert man mit Zitronensaft. Aber wichtiger ist, schon ab März durch Einreiben mit Lichtschutzcremes vorzubeugen.
- Einen reinen Teint **bekommt man durch Trinken von viel frischem Gurkensaft.**

Belebende Gesichtsmassagen

- **Die Augenpartie** massieren Sie mit dem Mittelfinger, indem Sie ihn ganz langsam in kreisenden Bewegungen um das Auge herum bewegen.
- **Regt die Durchblutung an und strafft die Haut:** Legen Sie beide Hände neben die Mundwinkel und streichen Sie in großzügigen Kreisen in Richtung Ohransatz. Dabei jedoch nicht viel Druck ausüben, sondern ganz sanft kreisen.
- **Glättet den Doppelkinn-Ansatz:** Die Haut wird auf der rechten Seite mit einer Hand unter Spannung gebracht. Jetzt fahren Sie mit Daumen und Zeigefinger der anderen Hand von oben nach unten über die Kinnpartie. Anschließend wiederholen sie den Vorgang auf der linken Seite.
- **Verhindert verkniffene Mundwinkel:** Kreisen Sie mit Mittel- und Zeigefinger in kleinen Bewegungen von innen nach außen, danach diesen Vorgang auch von den Mundwinkeln in Richtung Nasenflügel durchführen. Außerdem hilft übrigens: Viel lachen!
- **Verhilft zu einer glatten Stirnpartie:** Legen Sie Zeige-, Mittel- und Ringfinger ganz flach auf der Stirnmitte und streichen Sie mit leichtem Druck nach außen in Richtung Schläfen.

Hände und Fingernägel

- Um **schöne, weiche Hände** zu bekommen, sollte man ½ TL Zucker auf die Handfläche streuen und Baby-Öl darübergießen, anschließend ein paar Minuten kräftig reiben und dann die Hände mit Seife waschen.
- **Zarte Hände** bekommt man auch, wenn man jeden Abend vor dem Schlafengehen die Hände mit reinem Glyzerin einreibt. So bleiben sie immer zart. Glyzerin und Handcreme wirken besser, wenn man die Hände vorher in warmes Wasser taucht. Die Poren werden dadurch geöffnet, und die Haut nimmt die Creme besser auf.
- **Eingerissene Fingernägel** kann man im Notfall reparieren, indem man einen Teebeutel nimmt und ein Stückchen Papier davon abreißt. Dann trägt man reichlich farblosen Nagellack auf das Papier auf und drückt es auf die eingerissene Stelle (auch unter dem Riss andrücken). Anschließend malt man mit farbigem Nagellack darüber, und der Riss ist nicht mehr zu sehen.
- **Feste und längere Fingernägel** bekommt man, wenn die Nägel 1–3 mal in der Woche mit farblosem Nagellack bepinselt werden.
- **Brüchige Fingernägel** badet man abends in heißem Eichenrindentee. Dann mit Lanolinsalbe einreiben.
- **Bei schwachen und brüchigen Fingernägeln** trinkt man täglich ein Glas Wasser, in dem 3–4 EL Gelatine-Pulver ohne Geschmack aufgelöst werden. Nach 4 Wochen werden Sie stärkere Nägel haben.
- **Schweißige Hände** wäscht man oft in lauwarmem Wasser mit einigen Körnchen Alaun als Zusatz. Seife möglichst selten benutzen!

• **Gegen rauhe Hände** hilft Haferflockenbrei. Man übergießt eine Handvoll Haferflocken mit kochendem Wasser, lässt alles eine Weile ziehen und badet dann die Hände darin.

• **Rote Hände** wäscht man in lauwarmem Wasser mit reichlichem Borax-Zusatz und einem Schuss Kampferspiritus.

• **Zu weiche Fingernägel** reibt man täglich mit Zitronensaft ein.

• **Eingewachsene Nägel** schneidet man, indem man sie zuerst mit einem ölgetränkten Läppchen umbindet. Schon am nächsten Morgen sind sie so weich, dass man sie bequem abschneiden kann.

• **Klebstoff von den Händen** entfernt man mit Nagellackentferner.

Kopfhaut und Haare

• **Trockenshampoo** kann man auch selber herstellen. Streuen Sie etwas Stärkemehl oder Babypuder auf das fettige Haar. Danach gut ausbürsten. So werden die Haare sauber und bekommen mehr Glanz.

• **Fettiges Haar** sieht hässlich aus. Ein gutes Mittel dagegen ist, einen Liter Wasser mit vier Teelöffeln Pfefferminzblättern zum Kochen zu bringen, abkühlen lassen und als Pflegespülung nach der Haarwäsche zu verwenden.

• **Zu fettiges Haar** muss genügend oft mit leichtem Sodawasser gewaschen werden.

• **Creme-Spülung** selber machen! Mischen Sie etwas Weichspüler in einem Glas mit warmem Wasser und nehmen Sie die Lösung als Spülung. Sie glättet das Haar und macht es weich.

• **Dem Haar Glanz verleihen** können Brünette mit übriggebliebenem schwarzen Tee. Er ist ein ideales Mittel, um die Haare nachzuspülen. Der Seifenfilm wird dadurch gelöst, und das Haar bekommt mehr Glanz.

• **Öl-Haarkuren** sind besonders wirksam! Das Haar mit Olivenöl tränken. Zwei Handtücher nass machen, gut auswringen und für zwei Minuten in die Mikrowelle legen. Dann die heißen Handtücher drauflegen. 20 Minuten einwirken lassen. Anschließend die Haare mit Shampoo zweimal waschen.

• **Verfärbungen!** Es klingt unglaublich, aber wenn Sie Ihr Haar in einem helleren Farbton gefärbt haben, kann es passieren, dass die Haare grün werden, wenn Sie in einem Schwimmbad mit Chlorwasser schwimmen. Das kann man verhindern, indem man sechs Aspirintabletten in einem großen Glas warmen Wassers auflöst und die Lösung ins nasse Haar gibt. Oder man reibt das Haar mit Tomatensaft ein.

• **Blonde Haare** erhalten seidigen Glanz und duften schön frisch durch Waschen mit Kamillentee unter Zusatz einiger Tropfen Rosenwasser.

• **Glanz erhält** jedes Haar durch Zusatz von etwas Essig zum Spülwasser.

• **Sehr trockenes und sprödes Haar** wäscht man nur einmal im Monat, reibt es aber öfter mit Olivenöl ein, besonders über Nacht.

• **Gegen Haarausfall** helfen regelmäßig durchgeführte Kopfwaschungen mit starkem Kamillentee.

Make-up

• Wenn Ihre **Wimperntusche** eingetrocknet ist, halten Sie sie verschlossen für ein paar Minuten unter heißes Wasser. Die Masse wird innen aufgeweicht und man kann sie weiterverwenden.

• **Grundierungscreme** für das Make-up kann man strecken, indem man sie vor dem Anwenden in der Handfläche mit einer Feuchtigkeitscreme mischt.

• Bevor man **Lippen- und Augenbrauenstifte** anspitzt, gibt man sie für ein paar Minuten ins Gefrierfach. Die Stifte sind dann fester und es entsteht weniger Abfall.

- **Gesichtspuder** kann man strecken, indem man ihn mit derselben Menge Stärkemehl mischt.
- Verwenden Sie anstelle teurer **Schmink-Pinsel** gute, feine Malerpinsel.
- Der beste **Makeupentferner** ist Pflanzenfett: Es ist preiswert und sehr wirksam. Das Fett wird eingerieben, dann mit einem Papiertuch abgewischt.
- **Lippenglanz:** Ein wenig Vaseline über den Lippenstift auftragen, dann glänzen die Lippen schön und die Farbe wird intensiver und hält länger. Im Winter ist Vaseline für raue Lippen besonders gut.
- **Puder** niemals auf unvorbereitete Haut bringen, sondern nur auf eingecremte Haut. Vorm Schlafengehen muss Puder unbedingt entfernt werden. Anschließend wird die Haut mit Fettcreme eingecremt.
- Zu heller **Puder** macht immer alt, daher eine etwas dunklere Tönung wählen.
- **Statt** einer **Puderquaste** ein Wattebäuschchen benutzen und danach wegwerfen! Es ist nicht teurer, aber hygienischer und vor allem wirksamer.

Kleine Blessuren und andere kosmetische Wehwehchen

- Um ein **blutstillendes Mittel** selbst herzustellen, brauchen Sie nur ¼ Tasse Apfelessig, ½ Tasse Wasser und einen Teelöffel Weinstein-Paste. Die Paste mit dem Wasser mischen und den Essig dazugeben. Gut schütteln und mit einem Wattebausch auftragen. Die Lösung vor Gebrauch immer schütteln.
- **Sonnenbrand** wird gelindert durch Auflegen gewaschener Petersilie. Öfter wechseln!
- **Gegen aufgesprungene Lippen** ist eine 10%ige Boraxlösung mit Glyzerin ausgezeichnet.
- **Wer an Hühneraugen oder Hornhaut** leidet, eine Radikalkur aber vermeiden will, reibe täglich die verdickten Stellen mit einem feuchten Bimsstein ab. Der lästige Druck verschwindet. **Hühneraugen** schmerzen auch weniger, wenn man ein Stückchen Seidenpapier um die Zehe wickelt.
- **Warzen** zum Verschwinden bringen: Man bindet alle sechs Stunden ein frische Zitronenscheibe oder eine dicke Zwiebelscheibe darauf.
- **Warzen an den Händen** entfernt man durch Abbinden mit einen Zwirnsfaden. Möglichst in der Nacht anwenden. Nach mehreren Tagen vertrocknen die Warzen und fallen ab.
- **Gegen Frostbeulen** ist Hasenfett ein vorzügliches und schnell helfendes Mittel. Man besorgt es sich beim Wildbretlieferanten, schmilzt es und bestreicht damit über Nacht die kranken Stellen.

Augen

- Damit das **Augenbrauenzupfen** nicht so wehtut, reiben Sie die Brauen vorher kurz zwischen Daumen und Zeigefinger kräftig hin- und her. Die Stelle wird dadurch betäubt, und Sie können in aller Ruhe Ihre Augenbrauen zupfen.
- **Schönere Augenbrauen** erreicht man durch Einreiben mit Brillantine über Nacht.
- **Die Augenwimpern** werden gepflegt, wenn man ein kleines weiches Bürstchen mit etwas Creme einfettet und die Wimpernhaare damit bürstet.
- Wenn Ihre Augen durch **Überforderung** und **Müdigkeit** brennen und jucken, dann brühen Sie einen starken Kamillentee. Tauchen Sie zwei Wattepads in den Aufguss, drücken sie sie ganz leicht aus und legen sie sie auf Ihre Augen.
- Durch zartes Stricheln mit dem **Augenbrauenstift** gegen die Wuchsrichtung der Augenbrauen kann man sie optisch verlängern und betonen.
- **Der sogenannte Lidstrich** vergrößert das Auge und der Wimpernrand erscheint dichter. Man verwendet für den

Lidstrich flüssigen Eye-Liner oder einen Kajalstift, der für Anfänger leichter aufzutragen ist.

Kosmetische Bäder

- Ein **Schaumbad selbstgemacht!** Vermischen Sie zwei Tassen Salatöl, drei EL Shampoo und einen Schuss von Ihrem Lieblingsparfüm während ein paar Minuten im Mixer und geben Sie die Lösung als Zusatz in die Badewanne.
- **Weicheres Badewasser** bekommt man durch die Zugabe von ½ Tasse Backpulver.
- **Ein hilfreicher Badezusatz** für empfindliche Haut ist Kleie. 2–3 Pfund, in ein Säckchen genäht, reichen für ein Vollbad.

Deodorants

- Wenn Sie **Deodorants** nicht vertragen und auch von ganz milden Produkten Hautreizungen bekommen, reiben Sie etwas Handcreme unter die Arme, bevor Sie ein Deodorant verwenden. Die Creme wird die Wirkung des Deodorants nicht beeinträchtigen.
- **Deos** sollten niemals auf gerade rasierte Achselhaut aufgetragen werden. Das führt zu Reizreaktionen der Haut.
- **Roll-Deodorants** kann man selber nachfüllen, indem man eine Mischung herstellt aus einem Esslöffel Alaunpulver, das man in der Drogerie kaufen kann, und es in ¼ l Wasser auflöst. Die Lösung wird gut geschüttelt und in die leere Roll-Deodorant-Flasche gegossen.
- **Intimdeos** sollten nicht verwendet werden. Sie zerstören die natürliche Vaginalflora.
- **Trockensprays** werden im Handel als sogenannte 24-Stunden Deos angeboten. Eine einzige Anwendung soll reichen, um Schweißgeruch den ganzen Tag lang zu stoppen. Probieren Sie es aus!

Zähne

- **Wohlriechenden Atem** bekommt man durch ein Stückchen Zucker mit 2–3 Tropfen Lavendelöl, welches man langsam im Munde zergehen lässt.
- Ein gutes und **preiswertes Mundwasser** stellt man selbst aus einem Teil Arnikatinktur und drei Teilen Wasser her.
- Wirklich **schöne Zähne** bekommt man durch Zähneputzen mit warmem Salbei-Tee. Außerdem festigt der Salbei-Tee das Zahnfleisch.
- Ganz **weiß werden die Zähne**, wenn man sie wöchentlich einmal mit Kochsalz putzt, welches man wie Zahncreme auf die feuchte Zahnbürste gibt. Wichtig ist natürlich, gut nachzuspülen.

Füße

- **Dicke Fußfesseln** beseitigt man durch tägliche Massage mit Vaseline von unten nach oben gestrichen.
- **Fußschweiß** verschwindet durch Einreiben der Füße mit Essigwasser nach dem Fußbad.
- **Entspannung durch Fußmassage**
  - *Macht munter und lockert auf!* Verteilen Sie zuerst etwas Allzweckcreme oder Massageöl auf den Füßen. Massieren Sie dann mit beiden Daumen sanft kreisend den ganzen Fußrücken. Bei den Zehen beginnen und unterhalb des Sprunggelenks enden.
  - *Stimuliert angenehm die Nerven!* Legen Sie einen Fuß über das leicht angewinkelte Knie des anderen Beins. Während Sie mit einer Hand die Zehen fest umfassen, beschreiben Sie mit dem Daumen der anderen von der Ferse in Richtung Zehen über die gesamte Fußsohle kleine Kreise.
  - *Fördert sanft die Durchblutung!* Anschließend die Hand zu einer Faust ballen und mit den Fingerknöchelchen im Uhrzeigersinn in kreisenden Bewegungen

leichten Druck ausüben. Dann die ganze Sohle mehrmals mit einer kräftigen Klopfmassage lockern.

– *Steigert das Wohlbefinden!* Stellung beibehalten und zur Stimulierung der Fußreflexzonen die Sohle an der Ferse beginnend fest durchkneten. Sollte es an einigen Stellen schmerzen, lassen Sie diese aus. Mit dieser Übung können Sie übrigens ihr gesamtes Wohlbefinden steigern.
– *Kräftigt die Venen!* Das Gesicht in Richtung Knie beugen. Bei aufgestellter Ferse die Fußsohle mit beiden Händen umfassen, und die Zehen nach oben strecken. Den Fuß zur Venenstärkung gegen die verschränkten Finger nach vorn drücken und wieder lockern.

Gesund und munter

- Ein gesundes und **wirksames Schlafmittel** ist der Sud einer Speisezwiebel, die man in Milch aufgekocht hat. Der Schlaf kommt nach dem Trinken sehr schnell, und außerdem bekommt man dadurch eine gesunde Gesichtsfarbe.
- **Allgemein verjüngend** wirkt regelmäßiger Genuss von Knoblauch, auch als Saft oder Kapseln einzunehmen.
- **Sport und Bewegung** halten den Kreislauf auf Trab und bringen ihn zum Schwitzen, was wiederum das Entschlacken des Körpers zur Folge hat.
- **Die Menstruation** ist oft mit Schmerzen verbunden. Die Leiden werden erträglicher, wenn Sie ein paar Tage vor der Regel Leinsamentee trinken.
- Eine **Blutreinigungskur** sollten auch Gesunde unbedingt jährlich einmal durchführen. Diese unternimmt man wirksam und billig durch eine Vierwochenkur mit Walnussblättertee (zweimal täglich eine Tasse).
- Eine **Entschlackungskur** bietet sich ebenfalls 1–2 mal im Jahr in Absprache mit Ihrem Arzt an. Ein Obsttag, ein Entgiftungstag, 5 Fastentage und 2 Aufbautage sind die Regel.

Auch ein Computer braucht mal Streicheleinheiten

Tipps für die Handhabung und Pflege des modernen Mitbewohners – Erste Hilfe bei PC-Problemen

»Mein Computer ist nur so schlau, wie ich es bin!« Diesen Satz musste ich mir immer wieder vorsagen, wenn mein Computer mal wieder abstürzte und ich laut fluchend zum Telefon griff, um mir Rat bei Computerexperten zu holen. Alles was am Computer schief gehen kann, wird früher oder später garantiert auch passieren. Davon können wohl die meisten PC-Anwender ein Liedchen singen.

Was soll man tun, wenn der Rechner streikt oder das Betriebssystem sich nicht mehr starten lässt? Nun, die erste Regel lautet: Plötzliche Fehler haben fast immer banale Ursachen.

Bevor man sich auf eine zeitraubende Fehlersuche begibt, fragt man sich zunächst, ob die zu behebende Fehlfunktion plötzlich aufgetreten ist. War vorher alles in Ordnung und hat gut funktioniert, dann kann nur in der Zwischenzeit etwas passiert sein, was die Fehlfunktion hervorruft. Eventuell war ein Gerät zur Reparatur und ist anschließend falsch verkabelt worden, oder Sie haben Dateien von Ihrer Platte gelöscht, die ein bestimmtes Programm benötigt usw. Wichtig ist herauszufinden, was die Fehlfunktion verursacht hat, dann kann man den Schaden meist leicht beheben.

Der Systemstart hakt!

Beim Einschalten des Computers passiert jede Menge. Der normale Anwender versteht wenig davon. So führt das System beispielsweise einen sogenannten »Power On Self Test« durch, auch POST genannt. Im Rahmen dieser Routine wird z. B. geprüft, ob die Speicherbausteine des Rechners (RAM-Bausteine) in Ordnung sind, ob die Grafikkarte, die für die Bildschirmdarstellung zuständig ist, fehlerfrei arbeitet etc.

Werden während dieses Prüfvorganges Fehler festgestellt, so meldet sich der Rechner mittels diverser optischer und akustischer Signale. In diesem Fall sollte man sich sowohl die Anzahl der Piepstöne als auch die Fehlermeldungen auf Ihrem Bildschirm merken. (auch auf die Länge der Töne achten) Diese Angaben sind nützliche Hinweise für den Techniker, den Sie bei einem solchen POST-Fehler in der Regel rufen müssen.

Signaltöne und was sie bedeuten!

Signalton	Bedeutung
1x kurz	Alle Funktionsteile arbeiten einwandfrei.
anhaltend	Netzteil defekt
1x lang	RAM-Fehler (falsche Bausteine oder Bausteine defekt).
2x lang	RAM-Fehler (Bausteine defekt).
1x lang + 2x kurz	Grafikkarten-Fehler (falsche Grafikkarte oder Grafikkarte defekt).
5x lang	Prozessor-Fehler (Prozessor möglicherweise defekt).
6x lang	Tastatur-Fehler (falsche Tastatur, keine Tastatur angeschlossen oder Tastatur defekt).

Sollte beim Einschalten des Rechners nichts, aber auch wirklich gar nichts passieren, so ist Ihr Rechner entweder gar nicht an den Stromkreis angeschlossen (Steckdose führt keinen Strom, Netzkabel hat sich gelockert etc), oder das Netzteil Ihres PCs ist defekt. Im ersten Fall sorgen Sie dafür, dass Sie den Fehler selbst beheben, im letzteren Fall bleibt Ihnen nur der Ruf nach dem Techniker.

Bootfehler – was tun?

Nach dem oben angesprochenen Selbst-Test (POST) wird, sofern alle Hardwarekomponenten einwandfrei funktionieren, das »Steuerprogramm« des Rechners, das sogenannte »Betriebssystem«, von der Festplatte in den Arbeitsspeicher geladen. Diesen Vorgang nennt man »Booten«. Auch beim »Booten« kann einiges schief gehen. Wenn man beispielsweise vergessen haben sollte, eine Diskette aus der Diskettenstation zu entfernen, versucht der Rechner das Betriebssystem zunächst von der Diskette zu laden. Da er auf dem betreffenden Datenträger kein Betriebssystem findet, erhält man die Fehlermeldung »Keine Systemdiskette«. Um dies zu vermeiden, nie vergessen vor dem Booten die Disketten aus dem Laufwerk zu nehmen. Dasselbe gilt auch für CDs.

Liegt keine Diskette oder CD im Laufwerk, so wird das Betriebssystem von der Festplatte geladen – aber auch nur dann, wenn auf der Platte alles in Ordnung ist. Fehlen dort wichtige Systemdateien oder sind Teile des Betriebssystems beschädigt, lässt sich der Rechner nicht starten. Um dies zu vermeiden, sollte man auf alle Fälle eine Startdiskette erstellen (s. u.), die man für solche Notfälle neben dem PC aufbewahrt.

Erstellen von Startdisketten

Mit Windows 95/98

1. Startmenü öffnen und Befehlsfolge »Einstellungen« > »Systemsteuerung« aktivieren.
2. Symbol »Software« doppelklicken.
3. Auf Register »Startdiskette« und anschließend auf Schalter »Diskette erstellen« klicken.
4. Anweisungen auf dem Bildschirm befolgen.

Mit MS-DOS

1. Diskette in die Diskettenstation einlegen.
2. Auf Eingabeaufforderung (auch DOS-Prompt genannt) den Befehl FORMAT A:/S eingeben und die Enter-Taste betätigen.

Vorgehensweise bei Datenverlust

Haben Sie schon einmal ein Dokument gesucht und wussten ganz genau, dass sie es gespeichert haben?

Häufig passiert es, dass Anwender Daten auf Ihrer Platte suchen, diese jedoch nicht finden können. In der Regel ist dabei die gesuchte Datei sehr wohl noch auf dem betreffenden Datenträger vorhanden, nur weiß der Anwender nicht, in welchem Verzeichnis sie sich befindet. Windows 95-Nutzer sollten daher Ihre gesamte Festplatte mit Hilfe der Windows-Suche (»Start« > »Suchen« > »Dateien/Ordner«) durchforsten, bevor sie andere Aktivitäten unternehmen, um eine vermeintlich gelöschte Datei wiederherzustellen. Unter diesem Menüpunkt kann man auch versuchen, Daten wiederzufinden, von denen man nicht mehr weiß, unter welchem Namen man sie gespeichert hat. In diesem Fall muß allerdings bekannt sein, in welchem Format diese Daten bearbeitet wurden. So findet man zum Beispiel Daten, die in Word bearbeitet wurden wieder, wenn man ***.doc** eingibt. Eine andere Möglichkeit ist, den Zeitraum bzw. das Datum, in dem das Dokument gespeichert wurde, in o.g. Menüpunkt einzugeben.

Dateiendungen	Bedeutung
doc, txt	Textverarbeitung (Word)
xls	Tabellenkalkulation (Excel)
bak	Sicherungsdatei (Backup)
exe	Programmdatei (ausführbare Datei)
tmp	Temporäre Datei
bmp, jpg, gif, tif, cdr	Grafiken, Fotos (Grafikbearbeitung)
rtf	Textverarbeitung
wks	Tabellenkalkulation (Works)

Unter DOS geschieht die Suche nach einer Datei mit Hilfe des DOS-Befehls **DIR** (Beispiel für Befehlseingabe: **DIR C:\DOKUMENT.DOC /S**).

Papierkorb
Wenn Sie die Datei auch nach dem o.g. Suchen nicht gefunden haben, steht eindeutig fest, dass dieses Dokument versehentlich gelöscht wurde. Einmal gelöschte Dateien können unter Windows 95/98 mit Hilfe des Papierkorbes (siehe Windows-Desktop) leicht wiederhergestellt werden (Befehlsfolge: »Datei« > »Wiederherstellen«). Für DOS-Anwender steht zur Rekonstruktion von Dateien der Befehl UNDELETE zur Verfügung. Erst wenn der Papierkorb endgültig gelöscht wurde, sind Dateien unwiderruflich verschwunden.

Druckerprobleme – so finden Sie den Fehler

Bevor man bei Druckerproblemen schnell nach dem Techniker ruft, sollte man zunächst alle »einfachen« Fehlerursachen ausschließen. Zu prüfen ist dabei:

- Ist der Drucker an den Stromkreis angeschlossen und der Netzschalter eingeschaltet?
- Ist das Gerät online geschaltet?
- Liegt ausreichend Papier ein?
- Ist das Farbband, die Tonerkassette bzw. die Tintenpatrone richtig eingelegt?
- Ist eine evtl. vorhandene Druckerweiche (Umschalter) auf den richtigen PC geschaltet?

Wenn alle Fragen mit »ja« beantwortet werden können und der Druckvorgang dennoch nicht klappen will, dann sollten man einen Selbsttest des Druckers durchführen. Wie das geht, erfährt man aus dem Handbuch des betreffenden Gerätes. Wird der Selbsttest korrekt durchgeführt, ist das Druckerproblem auf ein nicht richtig arbeitendes, fehlerhaft installiertes oder unkorrekt konfiguriertes Programm zurückzuführen. Vielleicht ist ein falscher Druckertreiber (Programm, welches die Druckersteuerung übernimmt) installiert worden oder aus mehreren installierten Treibern wurde der Falsche ausgewählt. In diesem Fall bleibt nichts anderes übrig, als das Handbuch Ihrer Software zu lesen, bzw. den Hotline-Dienst Ihres Softwareanbieters anzurufen, um Hilfe zu bekommen.

Reinigung und Säuberung

Tower

Auch ein Computer muss von Zeit zu Zeit einer Reinigung unterzogen werden. Dazu schraubt man den Tower (das »Gehäuse«, den Rechner) auf und entstaubt ihn, indem man sehr vorsichtig, am besten mit einem dicken, sehr weichen Pinsel, über die einzelnen Karten fährt.

Sehr vorsichtig kann man auch mit der Düse des Staubsaugers, allerdings aus angemessener Entfernung, den Staub aus dem Gehäuse saugen. Dabei dürfen die einzelnen Bauteile nicht berührt werden.

Besonders der Lüfter am Computer ist oft stark eingestaubt. Es sollten aber nur erfahrene PC-Anwender den Lüfter demontieren und reinigen.

Monitor

Der Monitor sollte nicht mit einem Glasreiniger behandelt werden. Günstiger ist es, mit normalem Spülmittel und einem feuchten Tuch zu arbeiten. Dieses darf natürlich nicht mehr triefend nass sein. Anschließend mit einem Leinentuch die Scheibe des Monitors blank reiben.

Drucker

Beachtung sollte auch der Einzugsschacht vom Drucker finden. Eine regelmäßige Reinigung sorgt für eine reibungslose Funktion des Druckers.

Tastatur

Auch die Tastatur fängt viel Staub und Schmutzkörner auf. Es ist nicht unbedingt notwendig, die einzelnen Tasten zu entfernen. Es reicht, wenn man die Tastatur kopfunter vorsichtig »ausklopft«, sie ist nicht so sensibel und kann ein wenig Robustheit vertragen.

Maus

Die Maus ist einfach zu reinigen, aber man sollte es auch in regelmäßigen Abständen tun, damit die Gleitfähigkeit über das Mousepad gewährleistet bleibt. Dazu löst man die kleine Scheibe, hinter der sich die Kugel verbirgt. Diese wäscht man in Spülwasser aus und trocknet sie anschließend gut. Mit einem feuchten Lappen wischt man die Unterseite der Maus sauber, und schon hakt sie nicht mehr und gleitet wieder geschmeidig über das Mousepad.

Scanner

Die Scheibe des Scanners niemals mit Glasspray, sondern immer nur mit einem in Spülmittel eingeweichten und stark ausgewrungenen Lappen abwischen. Anschließend mit einen nicht fusselnden Tuch trocken und blank reiben.

Achtung: Scanner niemals alleine öffnen, um eventuell die Unterseite putzen zu wollen.

Was ist ein ...?

Der **Arbeitsspeicher** eines PCs wird auch RAM genannt (Random Access Memory). Er dient als Zwischenspeicher zwischen der Festplatte und dem Prozessor. Darin werden Daten gespeichert, die für die momentane Arbeit benötigt werden, z.B. Programme, die Sie gestartet haben. Deshalb können in diesem Speicher Daten nur temporär gelagert werden. Sobald Sie den Computer neu starten oder ganz ausschalten, sind die im RAM gespeicherten Daten verloren.

Das **Betriebssystem** (z. B. *Windows 98*) ist die Schnittstelle zwischen der Computer-Hardware und den anderen Programmen. Es verwaltet die Hardware und regelt das Zusammenspiel aller Komponenten. Aus dem Betriebssystem heraus kann der Benutzer einzelne Programme starten. Es reicht ein einfacher Klick auf ein Symbol auf dem Desktop, um z.B. einen Internetanbieter oder das Textverarbeitungssystem *Word* zu starten.

In einer **Datei** sind Daten gespeichert, z. B. Texte oder auch ein Computerprogramm.

Desktop ist eigentlich das englische Wort für Schreibtisch. Mit Desktop bezeichnet man die Arbeitsoberfläche, die man bei Windows nach dem Startvorgang vor sich hat. Hier sind die Icons abgelegt, also die Symbole, die man anklickt, um ein Programm zu starten. Der Desktop lässt sich je nach Vorstellung des Benutzers anpassen. So kann man dem Desktop ein individuelles Hintergrundbild zuweisen und die Anordnung, die Schriftart und die Farben der Icons selbst bestimmen. Der Desktop ist somit die Zentrale des Betriebssystems, von der aus der Benutzer seine Programme startet.

DOS (*Disc Operating System*) kann man mit Betriebssystem übersetzen. Im Allgemeinen bezeichnet man damit jedoch ein spezielles Betriebssystem. In den 80ern und zu Beginn der 90er-Jahre war DOS das am weitesten verbreitete Betriebssystem, das es bis zur Version 6.22 gab. Heute dominiert *Windows 98* bzw. *2000.*

Die **Grafikkarte** ist ein Hardware-Bauteil, das für die optische Darstellung der Daten auf dem Bildschirm zuständig ist. Sie heißt »Karte«, weil dieses technische Bauteil so flach ist wie eine Postkarte.

Grundbausatz: Damit ein PC überhaupt funktioniert, muß der Grundbausatz komplett sein, bestehend aus: einem Prozessor, einem Mainboard, einem Arbeitsspeicher (RAM), einer Grafikkarte, einer Tastatur, einem Netzteil sowie einem Gehäuse (»Tower«). Diesen Grundbausatz kann man dann noch mit zusätzlicher Hardware wie z.B. einem Modem, einer Soundkarte oder einer TV-Karte erweitern.

Mit **Hardware** bezeichnet man die Platinen und Chips, die in Computern stecken oder als zusätzliche Geräte extern aufgestellt werden, aber mit dem Computer per Kabel oder Infrarot verbunden sind. Hardware sind also Festplatten, Prozessoren, Grafikkarten, Monitore, CD-ROM Laufwerke, aber auch das Modem, der Drucker, die Maus usw.

Internet s. »Netzwerk«

ISDN ist die Abkürzung für »Integrated Services Digital Network«. Wörtlich bedeutet diese Bezeichnung »diensteintegriertes Digitalnetz«. Im Gegensatz zum herkömmlichen analogen Fernsprechnetz bietet ISDN die Möglichkeit, gewöhnliche Telefongespräche, Fax und sonstige Dienste in einer weitaus höheren Geschwindigkeit abzuwickeln.

Mainbord = Hauptplatine = Motherboard. Das Mainboard ist die dünne Metallplatte, auf der wichtigsten Bestandteile des Computers montiert sind; also sozusagen die Basis des Innenlebens Ihres Rechners. Sie bekommen Sie nur zu sehen, wenn ein Experte oder Sie selbst das Rechnergehäuse aufschrauben.

Eine Maus (engl. Mouse) ist ein Eingabegerät für den Computer. Mit der Maus können Sie einen Zeiger (engl. *Cursor*) über den Bildschirm bewegen. Mit diesem Zeiger können Sie Programme starten oder andere Befehle ausführen. Unter Windows können Sie das Aussehen des Mauszeigers und die Geschwindigkeit individuell einstellen.

Mit **Menüs** können Sie eine Auswahl treffen. Wenn Sie zum Beispiel auf »Datei« klicken, öffnet sich ein Menü, in dem Sie zwischen verschiedene Aktionen wählen können. Ein

Menü dient der Benutzerführung innerhalb eines Programms. Ein Menübefehl kann verschachtelt sein, also wiederum zu einem anderen Menü verweisen, oder direkt eine endgültige Aktion ermöglichen.

Das **Modem** stellt, über die Telefonleitung, eine Verbindung zwischen zwei Computern her. In den meisten Fällen wird ein Modem benutzt, um die Verbindung zum Internet herzustellen, also zum »Server« (Großrechner) eines Internet-Anbieters. Das Modem wird an eine COM-Schnittstelle an den PC angeschlossen und mit der Telefonleitung verbunden. Modems bieten den »analogen« Zugang zum Internet. Bei digitalen Anschlüssen kommt ISDN zum Einsatz.

Als **Netzwerk** oder Netz bezeichnet man eine Gruppe von Computern, die zeitweilig oder ständig miteinander verbunden sind und oft auch vorhandene Peripherie-Geräte wie Drucker oder Scanner gemeinsam nutzen können. Oft dient ein Server (zentraler Computer) als Vermittlungszentrale. Die meisten Netzwerke (*Intranets*) gibt es in Firmen oder Institutionen wie z.B. Universitäten, das größte Netzwerk der Welt ist das *Internet.*

Ein **Notebook** (oder **Laptop**) ist ein Kleinrechner, der alle Komponenten, die Sie auch in einem großen PC finden, auf kleinstem Raum vereint – etwas weniger als eine DIN A3-Seite groß. Notebooks haben bereits eingebaute Displays und benötigen somit keinen externen Monitor. Damit Notebooks auch auf Reisen genutzt werden können, sind sie mit Akkus ausgestattet, so dass man unabhängig von einem verfügbaren Stromanschluss arbeiten kann.

Ein PC (Personal Computer) ist ein einzelner Rechner, wie Sie ihn vermutlich zuhause haben.

Plug-and-Play bedeutet frei übersetzt: »Einstecken und Loslegen«. Plug-and-Play ist somit ein Prinzip, das das »Einrichten« (Einstellen) neuer Hardware vereinfachen soll. Mit Plug-and-Play sollen Sie als Anwender einfach eine neue Komponente, z. B. eine Soundkarte, an den Computer anschließen, und der PC übernimmt die Einrichtung für Sie. Sie brauchen sich also nicht mit der Verteilung von Steckplätzen, Hardwareadressen und Ähnlichem herumzuschlagen. Leider funktioniert das nicht immer wie gewünscht (deshalb entstand schnell die spöttische Abwandlung »Plug-and-Pray« – Einstecken und Beten), und man sollte den Anschluß neuer Hardware-Komponenten lieber eingefleischten Kennern überlassen.

Prozessor = CPU = Zentrale des Computers. Der Prozessor (z. B. der »Pentium«) steuert die gesamten Rechenvorgänge eines Computers, ist also sozusagen das Gehirn Ihres Rechners. Seine Leistung, also Schnelligkeit, ist von entscheidender Bedeutung für die Leistung Ihres Computers insgesamt.

Ein **Scanner** ist ein Gerät, das dem Einlesen von Bildern in den Computer dient. Ein Scanner arbeit ähnlich wie ein Kopierer, nur dass er die Daten nicht in gedruckter Form ausgibt, sondern als Datei. Mit einem Scanner kann man z. B. Fotos in den Computer einlesen, bearbeiten und ausdrucken.

Shortcut ist das englische Wort für Abkürzung. Shortcuts sind Tastenkombinationen, die das Bedienen von Programmen vereinfachen. Mit Hilfe von Shortcuts kann man also schneller zum Ziel kommen, als wenn man sich beispielsweise erst durch das Menu von *Windows* klickt.

Mit **Software** bezeichnet man Daten und Programme, die auf dem Computer gespeichert sind. Software ist »weiche« Ware – Sie können die Software im Gegensatz zu Hardware nicht anfassen. Alle Programme und das Betriebssystem werden als Software bezeichnet, und ebenso Ihre eigenen Dateien und Daten.

Mit der **Systemsteuerung** können Sie das Systemverhalten beeinflussen, also z. B. das Aussehen des Desktops, das Blinken des Mauszeigers, das Modem, die Grafikkarten, Datum und Uhrzeit, die Soundkarte und viele andere Dinge konfigurieren.

Windows (wörtlich: »Fenster«) ist ein Betriebssystem. Windows stellt dem Benutzer eine grafische Benutzeroberfläche zur Verfügung. Man arbeitet bei Windows mit Fenstern, d. h. verschiedene Programme werden in verschiedenen Kästen aufgeführt.

Der **Windows Explorer** ist ein Datei-Manager. Mit dem Windows Explorer kann man sich eine Übersicht über die auf der Festplatte enthaltenen Dateien verschaffen, Dateien umzubenennen, zu löschen und zu verschieben. Der Windows Explorer erlaubt es dem Benutzer ebenfalls, alle angeschlossenen Laufwerke und Festplatten zu durchsuchen

Selbst ist der Mann! Und die Frau erst recht!

Handwerkertipps für Sie und Ihn

Das Fahrrad hat Rostflecken, die Schublade klemmt, der Schlüssel lässt sich nicht drehen, Omas alte Möbel müssen aufpoliert werden, der Keller ist feucht: Irgend etwas ist immer zu handwerkern. Oft wird die Arbeit auf die lange Bank geschoben, weil man keine Zeit hat oder erst gar nicht weiß, wie einfache Handwerksarbeiten durchzuführen sind. Oder man ruft entnervt einen Handwerksbetrieb an, der den Schaden beseitigt, aber dafür viel Geld verlangt.

Ich möchte Ihnen zeigen, wie Sie kleine Reparaturen selbst erledigen können. Die dafür nötigen Utensilien sind meist im Haushalt zu finden oder für wenig Geld käuflich zu erwerben. Alles andere hängt von Ihrem Wollen und, zugegebenermaßen, von Ihren Fähigkeiten ab. Und vergessen Sie nicht: Es ist noch kein Meister und keine Meisterin vom Himmel gefallen. Also: Packen Sie's an!

Klebstoff

Es ist Ihnen etwas zerbrochen oder kaputtgegangen, doch zum Wegwerfen ist es zu schade? Der richtige Klebstoff löst das Problem und schafft eine neue, feste Verbindung.

Zum Kleben gibt es 5 Grundregeln

- Den richtigen Kleber wählen.
- Flächen säubern und trocknen.
- Kleber gleichmäßig und nicht zu dick auftragen.
- Die geklebten Teile gut andrücken.
- Trockenzeit beachten (steht auf der Packung).

Zusätzlich gilt es zu beachten, dass viele Kleber Lösungsmittel enthalten. Ihre Dämpfe sind ungesund und leicht entflammbar. Deshalb gut lüften, wenn Sie mit größeren Mengen arbeiten. Kleber ohne Lösungsmittel sind ungefährlicher, sie trocknen aber langsamer.

Es gibt für jeden Zweck den richtigen Kleber!

- **Vielzweckkleber:** Auch Universal- oder Alleskleber genannt. Wird benutzt für alles, was nicht stark beansprucht wird. → *klebt Papier, Pappe, Kork (gut zum Basteln)*
- **Kontaktkleber:** Beide Flächen müssen bestrichen werden und bis zu 20 Minuten abtrocknen. Der Kleber soll sich noch feucht anfühlen, aber keine Fäden mehr ziehen. Dann die beiden Teile kurz, aber so fest wie möglich, aufeinanderpressen und beschweren. Der Kleber bleibt auch nach dem Trocknen elastisch. → *klebt Gummi, Leder, Holz*
- **Sekundenkleber:** Er haftet sofort und extrem stark. Er ist nur wenige Monate haltbar. Von der Haut geht der getrocknete Kleber nicht mehr ab. **Auf keinen Fall an Augen oder Schleimhäute gelangen lassen!** Im Notfall soll-

ten Sie ihn sofort mit Nagellackentferner oder später mit Bimsstein abreiben. Zusammengeklebte Körperteile nicht mit Gewalt trennen – lieber zum Arzt! Auf keinen Fall darf der Kleber in Kinderhände geraten! → *Klebt Gummi und festes Material wie Metall und Plexiglas mit kleinen Klebepunkten superfest. Nicht geeignet für poröses, saugendes Material (Holz, Stoff).*

- **Zwei-Komponenten-Kleber:** Damit er klebt, müssen erst zwei Pasten oder eine Paste und ein Pulver miteinander verrührt werden. Die Mixtur bleibt meist lange geschmeidig. Vorteil: man kann sich beim Kleben Zeit lassen und zur Not auch korrigieren. Aber die geklebte Teile verrutschen deshalb auch leichter. Bis der Kleber richtig fest ist, dauert es je nach Fabrikat 20 Minuten bis 12 Stunden. Der Kleber kann kleine Spalten ausfüllen, wie fehlende Holz- oder Porzellansplitter. Stark belastbar, aber nicht flexibel. Man sollte nichts Biegsames damit kleben. → *Verbindet gut zweierlei Materialien, wie Porzellan mit Holz, Holz mit Metall etc.*
- **Holzleim:** Am besten unter Druck trocknen lassen. Mit Gummiband, Schraubzwinge oder Klebeband fixieren oder aber beschweren. Später hält er extrem gut, selbst wenn das Holz quillt, sich verzieht oder schrumpft.
- **Porzellankleber, Glaskleber:** Sie werden nur langsam fest. Deshalb geflickte Teile mit Klebeband befestigen, damit sie nicht verrutschen. Ist Kleber an der Naht herausgequollen, später mit einer Rasierklinge abschaben. Die Klebenaht ist hitzebeständig, also spülmaschinenfest.

Holzarbeiten

- **Dellen in Naturholz** entfernt man, indem man einen feuchten Lappen auf die Delle legt, damit das Holz aufquillt. Dann mehrmals mit einem Bügeleisen darüberfahren.
- **Schubladen** klemmen nicht mehr, wenn man die reibenden Flächen mit einem Kerzenstumpf oder trockener Seife einreibt.
- **Dielen** hören auf zu knarren, wenn man etwas Talkumpuder in die Ritzen streut.
- **Blumenkästen** aus Holz halten länger, wenn man sie regelmäßig innen und außen mit Leinöl bestreicht.
- Alte **Ölfarbe** kann man von Holz entfernen, indem man es mit 2 Teilen Salmiakgeist und 1 Teil Terpentinöl bestreicht.
- Möchte man **Weichholz** sägen, dann reibt man die Säge vorher mit Öl oder einer ungesalzenen Speckschwarte ein.
- Beim Sägen von **Hartholz** reibt man die Säge vorher mit Petroleum ein.
- Möchte man einen **Nagel** in Holz schlagen, sollte man vorher die Nagelspitze stumpf schlagen. So verhindert man, dass sich das Holz spaltet.

Holzpflege

- **Blind gewordene Stellen** auf Holzmöbeln beseitigt man durch Einreiben mit einer Mischung aus 1 Teil Leinöl und 1 Teil Zitronensaft. Anschließend muss gut nachpoliert werden.
- **Eichenmöbel** sehen wie neu aus, wenn man sie mit hellem Bier abreibt und anschließend gut nachpoliert.
- **Lasierte Möbel** säubert man zuerst mit einem trockenen Tuch. Wasserflecken auf diesen Möbeln werden dann mit Möbel-Wachs oder einer milden Essiglösung behandelt. Anschließend muss man das Möbelstück gut nachpolieren.
- **Mahagonimöbel** kann man wieder auffrischen, indem man sie mit Olivenöl abreibt.
- **Möbelpolitur** kann man aus gleichen Teilen Salatöl und Rotwein selber herstellen.
- **Polierte Möbel** reibt man kreisförmig mit Olivenöl ein, lässt es einwirken und poliert später nach. Man kann sie aber auch mit einem Lappen abreiben, der vorher in Sauerkraut gewässert wurde.

- **Schleiflackmöbel** und weiße Türen reinigt man mit dem Abgusswasser von gekochten Kartoffeln.

Metallarbeiten

- Wenn der **Schlüssel** sich schwer dreht, sollte man ihn mit Paraffin einwachsen.
- Nägel und Haken lassen sich leichter in **Steinwände** einschlagen, wenn man sie vorher eine Weile in Öl legt.
- **Schrauben** in der Wand rosten nicht, wenn man sie vorher mit Talg einreibt.
- Um beim Herausziehen von **Nägeln** die Tapete nicht zu beschädigen, legt man einen kleinen Holzkeil unter die Zange und zieht den Nagel über diesen Keil heraus.
- Wenn die **Türe** quietscht, träufelt man 2–3 Tropfen Maschinenöl an die Scharniere. Danach die Tür mehrmals hintereinander auf- und zumachen, damit sich das Öl verteilt.
- Wenn die Scharniere der **Schranktür** schwer gehen, dann hilft ein Bleistift: Die Tür wird etwas angehoben und mit dem Graphit der Bleistiftspitze kräftig zwischen den Scharnier-Teilen gerieben.

Rostentfernung

- **Rostflecken** kann man mit heißem Zitronenwasser entfernen. Nach der Behandlung muss man das Metall mehrmals kräftig mit frischem Wasser abspülen.
- Rostflecken auf **Felgen**, **Radkappen** usw. verschwinden ganz einfach, wenn man sie mit Alufolie abreibt, die man immer wieder in Cola eintaucht. Hinterher das Metall mit Autowachs behandeln.
- Um **Blech** zu entrosten, verwendet man Tomatensaft. Einfach den Gegenstand einreiben, kurz einwirken lassen und abwischen.
- **Eisen** entrostet man mit heißem Öl, oder man lässt Zwiebelsaft einwirken und poliert nach.
- Rostige **Gitterstäbe** säubert man mit einer Drahtbürste und streicht sie mit warmem Leinöl ein. Anschließend kann neue Ölfarbe aufgetragen werden.
- Rost auf **Stahl** entfernt man, indem man den Stahl erhitzt und ihn dann mit Bienenwachs einreibt, bis sich eine dünne Schicht bildet. Danach taucht man einen Lappen in Kochsalz und reibt das Wachs zusammen mit dem Rost vom Stahl ab.

Glasarbeiten

- Wenn man Glas notdürftig **kitten** möchte, muß man Gelatine bei wenig Hitze in Essig auflösen und auf die Bruchstelle auftragen. Die Teile muss man anschließend vorsichtig beschweren und einen Tag trocknen lassen.
- **Fensterkitt** löst man leicht vom Fenster ab, indem man vorsichtig mit dem Bügeleisen darüber fährt.
- Wenn man Fenster verkitten möchte, dann mischt man den Kitt mit der **Farbe**, mit der auch die Rahmen gestrichen werden sollen. So wird der Kitt fast unsichtbar.
- Wenn man ein **Loch** in ein dünnes Glas schneiden möchte, dann gibt man etwas Terpentin auf die zu bohrende Stelle und bohrt das Glas mit einem Stahlbohrer vorsichtig durch.

Maurerarbeiten

- Ein gemauerter **Waschkellerfußboden** ist meist nicht gestrichen und wird nach einiger Zeit unansehnlich. Man sollte ihn aber nie mit Seifenwasser scheuern. Man bürstet ihn mit einer Mischung aus 3 Teilen Sand und einem Teil gelöschten Kalk. Der Fußboden wird wieder weiß und sieht aus wie neu.

• Risse im **Beton** lassen sich mit Zement nur dichten, wenn sie vorher richtig aufgemeißelt wurden. Dann repariert man sie mit einer Mischung aus 4 Teilen Zement, einem Teil Glaspulver oder Quarzsand und soviel Wasser, dass ein dicker Mörtel entsteht.

• Feuchten **Fußboden** bekämpft man durch Ausstreuen von ungelöschten Kalk. Er zieht die Feuchtigkeit an. Nach einiger Zeit wird der Kalk dann wieder aufgefegt.

Maler- und Tapezierarbeiten

• Wenn **Farbpinsel** hart geworden sind, dann klopft man die Borsten mit einem Hammer locker und reibt sie anschließend mit Schmierseife ein. Dann lässt man sie so 24 Stunden liegen und wäscht den Pinsel mit Sodawasser aus.

• Mit dem Einschlagen eines **Nagels** in den Griff des Farbpinsels verhindert man beim Ablegen des Pinsels ein Hineinfallen in den Farbeimer.

• Getrocknete **Farbreste** in der Dose muss man nicht gleich wegwerfen. Man entfernt die Haut und stellt die Dose für ein paar Minuten in kochendes Wasser. Dabei sollte man die Farbe gut umrühren.

• **Ölfarbe** verdünnt man mit Firnis.

• **Lackfarbe** verdünnt man mit Terpentinöl.

• Weiße **Deckfarbe**, die zu dick geworden ist, kann man mit Magermilch verdünnen. Sie bindet dann besser und lässt sich leichter streichen.

• **Weiße Farbe** vergilbt nicht, wenn man einen winzigen Tropfen schwarzer Farbe untermischt.

• Wasserdichten **Leim** kann man auch selber herstellen. Dabei wird ein Teil Tischlerleim in 4 Teilen Wasser gekocht. Anschließend werden 11 Teile Leinöl zugefügt und alles 5 Minuten gekocht.

• Wenn man beim Streichen über den Stiel des **Pinsels** einen Bierdeckel stülpt, hat man die Hände sauber und es tropft keine Farbe runter.

• Ein wenig Terpentin in den **Kleister** verstärkt die Klebeleistung des Tapetenleimes.

• Vor dem **Tapezieren** sollte man auf feuchte Wände Alufolie kleben. Die hält die Feuchtigkeit ab und die Tapete fällt nicht herunter.

• **Dicke Tapeten** klebt man besser, indem man den Kleister direkt auf die Wand streicht und nicht auf die Tapete. So kann man die Tapete auf der Wand noch ein wenig schieben und ausgleichen.

• Wenn sich **Teile der Tapete wieder lösen**, rührt man eine kleine Menge Tapetenkleister nach Packungs-Angabe an und verstreicht mit einem kleinen Backpinsel vorsichtig Leim unter die gelösten Tapete.

• Wirft die Tapete **Blasen**, dann kann man die Blase mit einem Teppichmesser oder einer Rasierklinge vorsichtig aufritzen, etwas Kleister darunterpinseln und wieder andrücken.

• Beim **Fensterstreichen** sollte man die Ränder der Fensterscheiben mit Tesaband abkleben, um ein Übermalen des Fensterglases zu verhindern.

• **Farbe** trocknet nicht so schnell ein, wenn man die Dose gut verschließt und auf den Kopf stellt.

• Wenn **Lackierarbeiten** mehrere Tage andauern, dann spart man sich das Auswaschen des Pinsels, indem man ihn in Folie wickelt und einfriert. Eine Stunde vor dem Weiterarbeiten taut man ihn wieder auf.

Klempnerarbeiten

• Wenn der **Brausekopf** der Dusche oder des Wasserhahns verkalkt ist, dreht man ihn ab, drückt den Siebeinsatz heraus und legt ihn 15 Minuten in Essigwasser. Mit einer Bürste reinigt man die Sieblöcher und setzt den Einsatz danach wieder ein.

• Wenn das **Waschbecken** verstopft ist, kann man mit einer einfachen Saugglocke versuchen, die Verstopfung zu beseitigen. Meist bekommt man den Abfluss damit wieder frei. Man lässt viel Wasser in das Becken, setzt die Saugglocke auf und pumpt kräftig. Durch den Druck löst sich der Schmutz. Sollte das nicht helfen, dann muss man einen Eimer unter den Abfluss stellen und die Rohrteile abschrauben. Die Rohre innen säubern und wieder zusammensetzen.

- Wenn die **Toilette** verstopft ist, kann man versuchen, die Verstopfung mit der Saugglocke zu beseitigen. Sollte das nicht helfen, dann muss eine Spirale (auch »Schlange« genannt) her. Diese Arbeit führen Sie am besten mit einer zweiten Person durch: Zuerst muss die Toilette abgebaut und die Spirale direkt in den Abfluss der Toilette eingeführt werden. Diese Aufgabe übernimmt die erste Person. Die zweite Person steht weiter hinten und dreht an der Kurbel der Spirale. Durch das Drehen wird eine Spannung erzeugt und die Spirale bahnt sich einen Weg durch das Abflussrohr. Wenn man auf Widerstand stößt, noch einmal kräftig nachstoßen und dann die Spirale wieder herausziehen. Am Anfang der Schlange befindet sich ein Haken, der eventuelle Fremdgegenstände mit herauszieht.

Teppicharbeiten

- Bei **Druckstellen** auf dem Teppich legt man zum Schutz ein Tuch auf und geht mit dem Dampfbügeleisen darüber. Hinterher den Flor leicht aufbürsten.
- Um **Wachsflecke** zu entfernen, legt man ein Küchentuch oder Löschpapier auf den Teppich und bläst mit einem heißen Fön darüber. Das Wachs schmilzt und wird aufgesaugt. Zurückbleibenden Fettfleck mit Waschpulverlauge ausreiben.
- Wenn sich **Ecken** bei Teppichen oder Brücken hochrollen, dann macht man sie nass und biegt sie anschließend einige Male in die andere Richtung. Dann flach auf den Boden drücken, mit einem Tuch bedecken und beschweren. Nach 1–2 Tagen ist die Ecke trocken. Gerollte Kanten von Teppichböden kann man mit doppelseitigem Klebeband am Boden befestigen.
- Bei **Löchern** oder nicht mehr zu entfernenden Flecken in Teppichen hilft ein Stück Teppichrest. Sie können auch mit dem Teppichmesser an einer nicht sichtbaren Stelle ein passendes Stück herausschneiden. Der Teppichflicken sollte auf jeden Fall größer sein als das Loch oder der Fleck. Den Flicken so auf das Loch legen, dass die Florrichtung stimmt. Dann mit Nägeln feststecken und mit dem Teppichmesser an den Kanten des Flickens entlang bis auf den Boden durchschneiden. Das untere beschädigte Stück herauslösen und das neue mit doppelseitigem Klebeband einsetzen.

Freizeit-Highlights aus dem Aldidente-Schnäppchenplaner von Hagen Rudolph

Hagen Rudolphs jährlich erscheinender Aldidente-Schnäppchenplaner präsentiert (jeweils aufgrund der Erfahrungen des Vorjahrs) die günstigen Aldi-Sonderangebote, die es nur ein- oder zweimal jährlich für eine Woche zu kaufen gibt, übersichtlich für das ganze Jahr – und zwar sowohl für die Nordkette als auch für die Südkette von Aldi. Mit ca. 90%iger Wahrscheinlichkeit werden sich die Sonderangebote auch im laufenden Jahr wiederholen. Für die hier genannten Preise und Informationen wurden Unterlagen aus den Jahren 1999 und 2000 herangezogen. Die Preise sind in DM angegeben. Aufgrund diverser Unwägbarkeiten kann sich der Termin um plus/minus ein bis zwei Wochen verschieben.

Acryl-Holzlasur, 5-l-Eimer

Langzeitlasur für innen und außen (Nord: nur für außen). Seidenglänzend, tropfgehemmt und wetterbeständig. Für ca. 64 qm bei einmaligem Anstrich. In verschiedenen Farben.

Aldi-Nord:	Woche 12	14,98
Aldi-Süd:	Woche 14	19,98

Aluminium-Vielzweckleiter

Aus Aluminium-Vierkantprofil, max. Länge ca. 3,60 m, Höhe als Stehleiter 1,68 m bei der obersten Sprosse, Höhe als Gerüst ca. 94 cm, zulässige Belastbarkeit max. 150 kg, mit 2 Arbeitsbühnenauflagen aus Stahlblech (nur Nord).

Aldi-Nord:	Woche 6	119,–
Aldi-Süd:	Woche 6	129,–

Bohrer-Sortiment, 15-teilig (Süd: 16-teilig)

5 HSS-Spiralbohrer für Stahl; 5 Saphir-Schlagbohrer für Stein; 5 Spiralbohrer für Holz, jeweils in den Größen 4, 5, 6, 8 und 10, »Made in Germany«, übersichtliche Aufbewahrung in einer praktischen Kassette.

Aldi-Nord:	Woche 7	13,98
Aldi-Süd:	Woche 49	9,98

Brause-Garnitur, Set

5 Strahleinstellungen; Nord: Messing-Brauseschlauch, 160 cm lang; Süd: flexibler, hochwertiger Schlauch, 150 cm lang; passend für alle handelsüblichen ½″-Anschlüsse; mit Wassersparsystem.

Aldi-Nord:	Woche 8	39,98
Aldi-Süd:	Woche 11	22,90

CD-ROM-Sortiment

3 verschiedene interessante und informative Sortimente. 40.000 Super-Cliparts. Das neue große Super-Grußkarten-Paket 2000. Das neue große Super-Druckstudio 2000. Jedes Set enthält 1 bzw. 2 CD-ROMs, je nach Titel mit Begleitheft/-buch und Zubehör.

Aldi-Nord:	Woche 22	11,98
Aldi-Süd:	Woche 20	12,98

Computertisch

Höhenverstellbarer Computertisch aus pulverbeschichtetem Metall, Maße ca. B/T/H: 62,5 x 53 x 74 – 85,5 cm, für Tower-PC geeignet, mit 4 Ablageflächen, z.T. aus Lochblech, mit beidseitig ausziehbarer Maus-Ablage, auf vier Rollen feststellbar.

Aldi-Nord:	Woche 7	64,98
Aldi-Süd:	Woche 47	69,90

Elektrische Heißklebe-Pistole

Zum Verbinden von Holz, Textilien, Keramik etc. Mechanischer Vorschub. Inkl. Standbügel und 2 Klebestifte. 110 – 240 V/25 W/50 Hz. 1 Jahr Garantie.

Aldi-Nord:	Woche 30	4,99
Aldi-Süd:	Woche 1	6,98

Elektrische Lötpistole, komplett

100 Watt, mit Lötstellenbeleuchtung, Zuleitung ca. 1,70 m, Zubehör: 1 Ersatzlötspitze, 1 Schneidspitze, 1 Dose Lötfett, 10 g Lötdraht, im praktischen Tragekoffer, 24 Monate Garantie.

Aldi-Nord:	Woche 5	12,98
Aldi-Süd:	Woche 4	15,98

Elektrische Nähmaschine

Freiarm-Modell mit praktischem Anschiebetisch, mit 20 Sticharten, Rückwärtsstich-Schnelltaste, vereinfachte Spulerautomatik, mit eingebauter Oberfadenspannung und blendfreier Nähleuchte, mit reichlich Zubehör, 12 Monate Garantie.

Aldi-Nord:	Woche 39	169,–
Aldi-Süd:	Woche 43	169,–

Elektro-Handkreissäge, inkl. Zubehör

Hartmetall-bestücktes Sägeblatt; Leerlauf-Drehzahl: 4.500 U/min.; 230 V/50 Hz/1.200 W; Anschluss für Absaugschlauch; Schnitt-Tiefe bis 62 mm; Parallelanschlag mit mm-Skala; Gehrungsschnitte bis 45°, 24 Monate Garantie.

Aldi-Nord:	Woche 20	64,98
Aldi-Süd:	Woche 1	69,90

Feinmechaniker-Werkzeugsatz, 25-teilig

für Hobby und Beruf. Viele nützliche Werkzeuge, wie z.B. 6 Schraubendreher, 9 Schrauber-Bits aus Chrom-Vanadium, 1 Seitenschneider, 1 Pinzette usw.

Aldi-Nord:	Woche 4	7,98
Aldi-Süd:	Woche 1	8,98

Haar- und Barttrimmer

Akku- und Direktnetzbetrieb, mit Ausdünn- und Schneidefunktion, verstellbare Schneideaufsätze für 3, 6, 9 oder 12 mm Haarlänge, inkl. Ladestation und LED-Ladeanzeige sowie AC/DC Netzadapter, Kamm, Scherkopföl und Reinigungsbürste. 12 Monate Garantie.

Aldi-Nord:	Woche 1	14,98
Aldi-Süd:	Woche 29	14,98

Haarkur-Lotion, 150-ml-Flasche/Tube

Nord: mit Aloe Vera, Provitamin B5 und Vitamin E, für jeden Haartyp geeignet. Süd: mit natürlichen Fruchtwachsen und Jojobaöl.

Aldi-Nord:	Woche 2	2,99
Aldi-Süd:	Woche 6/34	1,99

Heimtrainer

Formschönes Modell mit Computeranzeige für Zeit, Geschwindigkeit, Strecke, Kalorien und Puls. Riemenantrieb, Magnet-Bremssystem, inkl. Ohrclip und eingebautem Empfänger für Herzfrequenzsender, 12 Monate Garantie.

Aldi-Nord:	Woche 44	298,–
Aldi-Süd:	Woche 2	298,–

Hochdruck-Reiniger, komplett

Fahrbarer Hochdruckreiniger mit Induktionsmotor, 1.750 Watt Leistung, Betriebsdruck 10 bis max. 120 bar, Wassermenge: 380 l/h, Elektrokabel ca. 5 Meter sowie umfangreiches Zubehör.

Aldi-Nord:	Woche 8	229,–
Aldi-Süd:	Woche 14	229,–

Kapp- und Gehrungssäge, inkl. Zubehör

Gehäuse und Teller aus Spritzguss, Sockel aus Kunststoff, Motorleistung 1.050 Watt, Drehzahl 4.500 U/min., Sägeblatt aus HCS-Stahl, mit 72 Zähnen, geschränkt und geschärft, Schneidewinkel horizontal und vertikal verstellbar, 24 Monate Garantie.

Aldi-Nord:	Woche 8	99,50
Aldi-Süd:	Woche 35	99,50

Lippenpflege-Stifte, 3er-Packung

Sanfte Lippenpflege, dermatologisch getestet, mit Provitamin B5, Vitamin E und Kamillen-Wirkstoff, LSF 9.

Aldi-Nord:	Woche 2	2,79
Aldi-Süd:	Woche 3	2,79

Multimedia Internet-PC (ohne Monitor)

667 MHz, mit 56K Daten-Fax-Modem, Intel Pentium III Prozessor mit neuester 133 MHz Frontside-Bus-Technologie, 128 MB Arbeitsspeicher, 20 GB Festplatte, 3,5" Diskettenlaufwerk, Tastatur, Maus inkl. Pad, vorinstallierter Software. 24 Monate Garantie.

Aldi-Nord:	Woche 13	1.998,–
Aldi-Süd:	Woche 13	1.998,–

Nagel-/Haken-Sortiment

Umfangreiche Nagel-, Haken-, Dübel-, Haushalts- oder Dichtungs-Sortimente, reichlich bestückt, ideal für Haushalt oder Hobby, in einer Kunststoffbox.

Aldi-Nord:	Woche 29	3,79
Aldi-Süd:	Woche 1	4,98

Sicherheits-Schnürstiefel

Obermaterial aus Leder, Knöchelumrandung aus Synthetik, Stahl-Zehenschutz, profilierte Laufsohle aus Polyurethan mit Stahlplatte, Sohle ölabweisend, Schnell-Öffnungs-System. Die Schuhe entsprechen der EN-Norm 345, Kategorie S 3 Ci. Größen: 41–46.

Aldi-Nord:	Woche 3	39,98
Aldi-Süd:	Woche 3	39,90

Spanplattenschrauben, Box

Praktische Kunststoffbox mit Spanplattenschrauben in verschiedenen Mengen und Größen, z.B.: 600 Stück 4 x 30 mm oder 250 Stück 5 x 50 mm, u.a. gelb verzinkt, mit Kreuzschlitz, gehärtet.

Aldi-Nord:	Woche 6	4,49
Aldi-Süd:	Woche 21	4,98

Teil 4: Gartenarbeit

Will ich in mein Gärtlein geh'n ...

Tipps für die Arbeit im Grünen

Die Vorzüge eines eigenen Gartens habe ich in diesem Buch schon oft erwähnt:

Bewegung an der frischen Luft, die Freude am Wachsen und Blühen von Blumen und anderen Pflanzen und nicht zuletzt die Selbstversorgung mit frischem Gemüse und Obst sind unübertreffliche Freuden und Genüsse. Auch ein Balkon oder ein kleines Beet im Vorgarten kann übrigens diesen Luxus bieten.

Ob man nun Obst und Gemüse anbauen möchte oder sich nur an Zierpflanzen freuen will – für jeden Gärtnertyp bietet dieses Kapitel Tipps und Tricks. Auch die Fans von Zimmerpflanzen kommen auf Ihre Kosten. Wer jetzt noch keinen »grünen Daumen« hat, wird ihn nach dieser Lektüre garantiert bekommen.

Wer wie ich das Glück hat, einen eigenen Garten zu besitzen, kann übrigens vom Gartenkalender rund ums Jahr *vielleicht noch etwas lernen. Von Januar bis Dezember bekommen Sie dort Ratschläge, was Sie pflegen, säen, düngen, kompostieren und ernten können.*

Natürlich können Ihnen die folgenden Seiten keine detaillierten Informationen über die verschiedenen Pflanzen geben. Die genaue Beschreibung aller Blumen-, Gemüse- und Obstsorten würde den Rahmen dieses Buches sprengen. Wenn Sie mehr Informationen darüber benötigen, müssen Sie in der reichhaltigen Fachliteratur nachschlagen.

Der Gemüsegarten

Beete anlegen

Um die Pflanzen vor Wind zu schützen, sollten Sie neue Beete von Norden nach Süden anlegen. Achten Sie auch darauf, die Rillen für neue Setzlinge so anzulegen, dass diese vor Winden geschützt sind.

Boden

- *Sandboden:* Der Boden kann nicht genug Wasser speichern. Wenn Sie öfter Komposterde oder Humus auf diesen Boden geben, fungiert der dann als Wasserspeicher. Er ist zudem nährstoffreich und kann Wärme und Sonne besser absorbieren.

- *Feuchter Boden:* Pflanzen Sie Gemüse- und Obstsorten an, die viel Wasser benötigen. Sie entziehen dem Boden Feuchtigkeit.
- *Umgraben:* Boden nur bei trockenem Wetter umgraben. Bei zu viel Feuchtigkeit entstehen beim Umgraben harte Klumpen, die den Pflanzenwuchs behindern.
- *Regeneration*: Gönnen Sie dem Boden mal eine Pause zum Regenerieren oder pflanzen Sie im Wechsel mit anderen Pflanzen Gemüse an, die dem Boden wenig Nährstoffe entziehen, wie zum Beispiel Kartoffeln.

Düngen

Etwa drei Wochen, bevor Sie mit dem Anpflanzen und Aussäen von Gemüse beginnen, sollten Sie den Boden düngen. Die Nährstoffe haben dann Zeit, in den Boden einzudringen und sich zu verteilen, so daß sie besser von den Pflanzen aufgenommen werden können.

Um die Umwelt und den Boden nicht noch mehr zu belasten, sollten Sie auf chemischen Dünger weitestgehend verzichten. Tiermist hat den Vorteil, die Wärme im Boden zu halten. Wenn Sie einen Kompost im Garten haben, ist dieser der beste Dünger. Mit etwas Kalk, Humus oder Torf versetzt, gibt er Ihrem Boden alle Nährstoffe, die er braucht. Die Komposterde nur auf die Bodenoberfläche legen und nicht umgraben. Die Wurzeln von Gemüsepflanzen liegen oft knapp unter der Erdoberfläche. Wenn die Komposterde zu tief untergegraben wird, kommen die Wurzeln nicht mehr an die Nährstoffe heran.

Ernten

Ernten Sie Ihr Gemüse immer abends. Dann ist der Nährwertgehalt am höchsten. Eine Ausnahme sind Erbsen und Bohnen. Sie entfalten ihr volles Aroma am Morgen.

Gemüse aus dem eigenen Garten sollte vor der weiteren Verwendung gut gewaschen werden – und zwar auch dann, wenn Sie keine Chemie zum Düngen oder Spritzen verwenden. Vor Schädlingen wie Maden und Würmer ist Ihre Ernte nämlich gerade dann nicht sicher. Im sprudelnden Kochwasser sind sie aber spätestens erledigt.

Gießen

Bewässern Sie Ihren Garten stets am Abend, wenn die Sonne weg ist. Die Feuchtigkeit verdunstet sonst viel zu schnell und die Erde wird rissig. Wenn es doch tagsüber sein muß: Nur die Wurzeln gießen, da Wasser auf Blättern wirkt wie ein Brennglas.

Es reicht, wenn Sie Ihren Garten nur jeden zweiten Tag gießen, dann aber kräftig. Müssen Sie nur kleinere Flächen mit Wasser versorgen, lohnt sich die Anschaffung einer Regentonne, in der der Niederschlag gesammelt wird. Außerdem hat Regenwasser einen geringeren Kalkgehalt.

Kerne

Vor der Aussaat werden die Kerne eine Nacht in Milch eingeweicht. Sie gehen dann besser auf. Das betrifft zum Beispiel Gurken- oder Kürbiskerne.

Samen

Wenn Sie im Frühjahr Samen in der Gärtnerei oder im Supermarkt kaufen, lagern Sie die Tüten trocken und dunkel. Sie trocknen sonst aus und können nicht mehr gedeihen.

Das Säen feinster Samen geht einfacher, wenn man unter das Saatgut eine Handvoll trockenen Sand gibt. Frisch in die Erde gebrachte Samen werden nicht mit der Gießkanne begossen, um ein Verschlammen zu verhindern. Der Erdboden muss vorher angefeuchtet werden.

Setzlinge

Pflanzen Sie die Setzlinge nur nach oder während dem Regen ein. Es kommt sonst zu Wachstumsstockungen.

Steckzwiebeln

Wählen Sie nur die kleinsten Zwiebeln zum Stecken aus. Große schießen zu schnell ins Kraut.

Der Kräutergarten

Kräuter würzen Speisen, sind wichtig für die Gesundheit und gehören in jede Hausapotheke. Außerdem sind sie ein Highlight in jedem Garten: sehen schön aus, riechen gut, vertreiben Ungeziefer und wecken Sehnsucht nach fernen Ländern.

Kräuter, die einjährig sind, sollten jedes Jahr einen anderen Standort bekommen. Das bekommt dem Boden besser. Einjährige und zweijährige Kräuter gehören nicht in dasselbe Beet. Zweijährige brauchen generell mehr Platz im Boden. Hier eine Aufstellung der wichtigsten Informationen zu ausgewählten Kräutern.

Basilikum
– benötigt einen warmen und sonnigen Platz
– ist sehr empfindlich gegen Kälte, daher erst nach den Eisheiligen aussäen
– Bei Blüte stark zurückschneiden; bleibt so lange Zeit erhalten

Bohnenkraut
– sonniger Standort
– muss während der Blütezeit geerntet werden

Dill
– sonniger Standort
– wächst nach Ernte gut weiter

Dillsamen
– der reife Samen des Dillkrautes kann als Kümmelersatz verwendet werden

Knoblauch
– beste Pflanzzeit ist im Frühjahr
– lässt sich auch in Blumenkästen auf dem Balkon ziehen
– unbedingt ernten, solange die Blätter noch frisch sind, da sonst die Qualität stark eingeschränkt ist

Kresse:
– ist sehr anspruchslos, was den Boden angeht
– wächst auch auf feuchtem Zellstoff oder Löschpapier

Lavendel:
– benötigt einen sonnigen Standort
– gedeiht auf sandigem Boden

Majoran:
– braucht viel Sonne und
– viel Dünger
– ernten, wenn sich die ersten Blütenknospen zeigen, diese dann abschneiden

Petersilie:
– wächst bei guter Pflege fast das ganze Jahr
– halbschattiger Standort genügt

Pfefferminze
– halbschattiger bis schattiger Standort
– braucht feuchten Boden

Rosmarin:
– braucht unbedingt einen sonnigen Standort
– sehr kälteempfindlich, daher besonders vor Frost schützen; am besten vor der Frostperiode in einen Blumentopf umpflanzen und an ein helles Fensterbrett in die Wohnung stellen; im Frühjahr wieder auspflanzen

Schnittlauch
– es genügt ein schattiger Standort
– nicht blühen lassen, verliert sonst an Geschmack
– Ruß als Dünger in die Erde verhilft dem Schnittlauch zu einer tiefgrünen Farbe
– Kann alle 30 Tage ausgesät werden

Thymian:
– liebt trockenen Boden
– braucht nicht viel Feuchtigkeit und Dünger
– für die größte Würzkraft in der Mittagshitze ernten

Zinnkraut (oder Schachtelhalm)
– oft als Unkraut verkannt
– wächst auf feuchtem, sandigen Boden
– beste Erntezeit im Sommer

Zitronenmelisse:
– kurz vorm Aufgehen der Blüten ernten
– am Nachmittag entfaltet sie den größten Duft zum Ernten

Der Obstgarten

Beeren

Den Boden unter Beerengewächsen sollte man nicht umgraben, um den Wurzeln nicht zu schaden. Es reicht, jedes Jahr nährstoffreichen Humus aufzubringen.

Denken Sie rechtzeitig daran, den Pflanzen die Last der Früchte leichter zu machen und sie zu stützen. Einen Rückschnitt der Beerenpflanzen können Sie zu jeder Jahreszeit vornehmen. Schneiden Sie dafür die alten, dunklen Zweige ab.

Brombeeren:
- wachsen auch im Halbschatten. Die Frucht ist reif, wenn der Fruchtzapfen dunkel ist.

Erdbeeren:
- brauchen einen lockeren Boden
- Sie fördern die Qualität der Frucht und vermindern den Pilzbefall, wenn Sie zwischen den Erdbeeren Zwiebeln oder Knoblauch pflanzen.
- Pflanzen Sie immer mehrere Sorten gleichzeitig; sie befruchten sich dann gegenseitig, und der Ertrag wird größer.
- Pflanzen, die unfruchtbar bleiben, sofort herausziehen. Sie können die Unfruchtbarkeit auf andere Pflanzen übertragen. Auch Ableger, die keine Frucht tragen, gleich entfernen.
- Unkraut sollte schnellstens gejätet werden.

Heidelbeeren:
- benötigen einen sonnigen Platz.
- Zum Anpflanzen keinen Kalk, sondern dunkle Muttererde benutzen.

Himbeeren:
- wollen einen feuchten, nährstoffreichen Boden. Zum Speichern von Wasser genügt feuchter Torf.
- Am besten schmecken Himbeeren, wenn sie am Mittag geerntet werden.

Johannisbeeren:
- müssen mindestens alle drei Jahre zurückgeschnitten werden, wenn die Ernte ergiebig sein soll.

Stachelbeeren:
- In der Wachstumsphase braucht der Strauch viel Wasser, damit die Früchte groß und süß werden.

Humus

Um den Jungpflanzen genug Nährstoffe zuzuführen, gibt man die Wurzeln in einen Brei aus Humus.

Obstbäume

Kaufen Sie Obstbäume nur aus Baumschulen mit gleichem Klima. Das heißt: nicht aus dem Süden beziehen, wenn man sie im Norden einpflanzen will.

Der Herbst ist für Obstbäume die beste Pflanzzeit, da die Wurzeln im Winter Zeit haben, auszuschlagen.

Mit einem reichen Ertrag ist zu rechnen, wenn man den Wurzelhals nicht mit eingräbt. Die Wurzeln selbst brauchen ein großes Pflanzloch.

Wenn die Äste der Obstbäume im Winter unter Schneedruck leiden, sollte man den Schnee vorsichtig abschütteln. Aber Vorsicht: Bei zu kräftigem Rütteln können die Äste leiden, was im schlimmsten Fall zum Absterben des Baumes führen kann.

Um zu verhindern, daß der Blütensaft im Winter während der wärmeren Mittagszeit nach oben steigt um dort in der Nacht zu gefrieren, so daß der Obstbaum eingeht, sollte man in Regionen und Jahreszeiten mit extremen Temparaturschwankungen und großer Frostgefahr die Baumstämme weiß kalken.

Wenn während der Blütezeit mit Frost zu rechnen ist, spritzen Sie vorher die Bäume mit dem Wasserschlauch ab. Das gefrierende Wasser wirkt besser kälteisolierend als der gefrorene Blütensaft.

Der anspruchsloseste Obstbaum ist die Sauerkirsche. Sie gedeiht im Schatten und auf sandigem Boden.

Obstbaumbeschnitt
Am Anfang des Frühjahrs, wenn die Gefahr eines Frosteinbruchs nicht mehr so hoch ist, aber die Bäume auch noch nicht ausgetrieben haben, müssen die Obstbäume zurückgeschnitten werden. Das sollte man am Nachmittag tun, weil sich dann die Pflanzensäfte in den Stamm zurückziehen, um am nächsten Tag wieder aufzusteigen.

Pflanzzeit
Die beste Zeit zum Pflanzen ist, wenn der Boden feucht ist. Nicht bei starker Sonne und auf keinen Fall bei Frost pflanzen. Die günstigste Jahreszeit ist der Spätherbst.

Vielfalt
Um einen gesunden Obstgarten zu erzielen, pflanzen Sie nicht nur eine Sorte an, sonst besteht die Gefahr eines starken Schädlingsbefalls.

Der Ziergarten

Blumenzwiebeln
Mehrjährige Blumenzwiebeln, die Sie nach der Blüte aus der Erde nehmen, müssen unbedingt kühl und trocken in einem gut belüfteten Raum gelagert werden, sonst faulen sie oder treiben aus.

Boden
Für den Ziergarten gilt dasselbe wie für den Rest des Gartens: Ein humusreicher Mutterboden sollte unter die Erde gemischt werden, damit sie nährstoffreicher wird und die Wärme und das Sonnenlicht besser absorbiert werden können.

Auch bei Blumenbeeten wird der Boden nicht im nassen Zustand umgegraben, weil sich sonst harte Schollen bilden, die das Wachstum der Pflanzen behindern.

Ist Ihr Gartenboden zu feucht, pflanzen Sie Blumen oder Stauden an, die viel Wasser benötigen, wie zum Beispiel Rhododendron.

Sandboden können Sie anreichern, indem Sie mehrmals im Jahr Kompost und Humus auf dem Boden verteilen. Diese sind dann Wasserspeicher.

Heidepflanzen wie Erika oder Rhododendron mögen besonders gern sauren Boden, am besten zusätzlich mit Kaffeesatz angereichert.

Düngen
Nur im Frühjahr und Sommer düngen; zum Überwintern benötigen die Pflanzen keine weiteren Nährstoffe.

Gießen
Blumen muss man nicht jeden Tag gießen – einmal in der Woche reicht, dann jedoch kräftig. Wenn man die Blumen nicht zu häufig gießt, wachsen sie in die Breite, um das Wasser zu speichern.

Giftige Pflanzen
Um Kinder vor giftigen Pflanzen zu schützen, sollte man sich vorher genau informieren. Auf Vogelbeere und auf die Herbstzeitlose müssen Sie beispielsweise verzichten, wenn Kinder den Garten mitbenutzen.

Hecken
Gut wachsende Hecken sehen nicht nur schön aus, sondern bieten auch einen Sichtschutz, der Straßenlärm wird etwas gedämpft und sie sehen allemal natürlicher aus als ein Gartenzaun.

Buchsbäume zum Beispiel wachsen dicht und hoch. Achten Sie beim Anpflanzen darauf, die Wurzelballen nicht zu dicht aneinander in die Erde zu bringen; sie haben sonst keinen Platz zum Anwachsen. Im April können die Pflanzen beschnitten werden, damit sie neu treiben. Braune, abgestorbene Triebe ganz abschneiden.

Flieder blüht besonders schön und riecht wunderbar. Er ist allerdings sehr empfindlich gegen Frost und verträgt nur wenig Dünger. Mist sollten Sie nicht verwenden, da er zu aggressiv für die zarten Wurzeln ist.

Ranken

Wenn Sie Ranken, wie zum Beispiel Wein, in Ihrem Garten lieben, dann sollten Sie neben diesen Pflanzen keine anderen feuchtigkeitsliebenden Gewächse anpflanzen. Rankpflanzen benötigen viel Wasser, das sie ähnlich einer Pumpe aus dem Boden saugen.

Rasen

Ein gesunder und dichter Rasen bedarf einiger Pflege. Dazu gehören in erster Linie die ausreichende Versorgung mit Nährstoffen und regelmäßiges Mähen.

Bei der Aussaat von Rasensamen müssen Sie darauf achten, dass der Boden gleichmäßig ist. Zur Not verteilen sie vorher noch Muttererde auf die auszugleichenden Stellen. Das erleichtert die spätere Pflege. Nachdem Sie die Grassamen ausgesät haben, muss die Erde gut bewässert werden. Sind die ersten Halme zu sehen, muss ebenfalls kräftig gegossen werden.

Es gibt verschiedene Typen von Gräsermischungen, die alle nur eine gewisse Wuchshöhe vertragen. Deshalb regelmäßig mähen. Aber Achtung: Wenn Sie wiederum zu tief schneiden, kann das Gras keine neuen Triebe und Blätter mehr bilden. Merken Sie sich beim Kauf der Samen, wie der spätere Rasen geschnitten werden soll.

Rasenschnitt sollte nach dem Mähen immer entfernt werden, damit kein Filz entsteht. Die abgestorbenen Pflanzenteile verhindern das Eindringen der Feuchtigkeit in den Boden. Bei einem gesunden Rasen genügt es, alle 7–10 Tage zu mähen. Wenn Sie den Rasen etwas länger halten, kann er die Feuchtigkeit besser speichern. Mähen Sie den Rasen immer in derselben Richtung. Das verteilt die Graspartikel besser und sieht gleichmäßiger aus.

Es ist immer gut, den Rasen bei Trockenheit zu mähen. Wenn das Gras nass ist, mähen Sie langsamer und lassen die Mähbahnen überlappen.

Den Rasenschnitt verwende ich zum Mulchen, das heißt, ich verteile ihn zwischen die Beete, um die Pflanzen und Bäume herum. Das hat den Vorteil, dass der Boden bei großer Trockenheit die Feuchtigkeit besser speichern kann.

Da auch bei guter Pflege immer Heu liegen bleibt, bietet es sich an, den Rasen einmal im Jahr, und zwar im Frühling, zu vertikutieren. Das lockert den Boden, die Erde kann wieder mehr Nährstoffe aufnehmen und die Verbreitung von Unkraut und Moos wird stark eingeschränkt. Ihr Rasen sieht dann wieder gesünder aus. Bleibt hartnäckig Moos auf Ihrem Rasen, dann bietet sich eine Lösung aus 30 Litern Wasser und 1 kg feingestoßenem Eisenvitriol an. Das Moos stirbt in kurzer Zeit ab und Ihr Rasen bekommt gleichzeitig wichtige Nährstoffe und Mineralien.

Auch für die Bewässerung von Rasen gilt: »Finger weg vom Wasserhahn, wenn Dich lacht die Sonne an.« Entweder Sie stehen morgens sehr früh auf, oder Sie gießen spätabends. Bei normalen Sommertemperaturen genügt es, einmal die Woche ausgiebig zu sprengen. Die Wurzeln wachsen tiefer und der Rasen bekommt stärkeren Halt.

Rosen

Die Hauptpflanzzeit für Rosen ist im Oktober. Nur in Regionen mit einem zu erwartendem rauhen Winter empfiehlt es sich, die Rosen erst im März oder April zu pflanzen. Allerdings blühen diese Rosen erst im zweiten Jahr richtig.

Zum ***Pflanzen*** muss der Boden bis zu einem halben Meter gründlich gelockert werden. Rosenwurzeln werden etwas gekürzt, damit sich an den Schnittstellen schnell neue Saugwurzeln bilden können. Verteilen Sie die Wurzeln gleichmäßig im Pflanzloch. Die Rosen gedeihen besser, wenn Sie die Erde mit Kompost anreichern. Die Erde ins Pflanzloch geben, gut eindrücken und ausreichend bewässern. Zum Schluss die Triebe gut vor dem ersten Frost schützen, indem Sie die Erde ca. 20 cm anhäufeln. Sie können zum Schutz der Pflanzen zusätzlich mit Rasenschnitt mulchen.

Damit die Rosen gut gedeihen, brauchen sie im Frühjahr einen kräftigen Schnitt:

- Erfrorene oder abgestorbene Triebe bis zum gesunden Holz abschneiden;
- Je weiter ein Trieb zurückgeschnitten wird, um so stärker treibt er dann aus;
- Dicke Triebe nicht so stark zurückschneiden, sie entwickeln mehr stärkere Triebe als dünnere;
- Wenn Sie langstielige Rosen möchten, dann weiter zurückschneiden;
- Immer 1–2 cm über einer Triebanlage, aus der sich ein neuer Trieb entwickeln soll, schneiden

Wenn Sie im Herbst pflanzen, müssen die Triebe nicht zurückgeschnitten werden. Frühjahrspflanzen müssen jedoch kräftig zurückgeschnitten werden.

Die Veredelungsstelle muss etwa 5 cm unter der Erdoberfläche liegen.

Im Frühjahr erfolgt die Versorgung der Rosen mit Nährstoffen. Den *Dünger* um die mit Erde angehäufelte Pflanze streuen. Bei Trockenheit muss wie immer gut gegossen werden. Wird die Rose später abgehäufelt, verteilen sich die Nährstoffe. Günstig ist auch eine Schicht aus Kompost oder Mulch. Im Hochsommer wird das letzte Mal im Jahr gedüngt, damit das Rosenholz bis zum Winter ausreifen kann.

Staudenpflanzen

Stauden blühen länger und intensiver, wenn Sie die verwelkten Blüten immer gleich abzupfen.

Um das Überaltern von Staudenpflanzen zu verhindern, ist eine Teilung der Pflanze in regelmäßigen Abständen notwendig. Dazu wird die Pflanze nach der Blüte ausgegraben und die Wurzel mehrmals geteilt.

Alte Staudenpflanzen sind besonders anfällig gegen Schädlinge und Krankheiten. Deshalb ist es besser, sie aus dem Garten zu entfernen.

Eine besonders beliebte Staude ist der *Rittersporn.* Allerdings ist er sehr wetterfühlig und muss bei Wind festgebunden werden, sonst brechen die Dolden.

Nützliche Gartenviecher

Igel

Über einen Igel in Ihrem Garten können Sie sich nur freuen. Er frißt mit Begeisterung Schnecken, Würmer und Insekten. Von Oktober bis März hält er gern im Unterholz in einem Nest aus Moos und Blättern seinen Winterschlaf.

Kröten und Frösche

Kröten und Frösche sind ein gesundes Omen für Ihren Garten. Obwohl ihr Quaken manchmal nerven kann, ist ihre Anwesenheit ein Zeichen dafür, dass Ihr Garten ein natürliches Biotop ist. Außerdem vernichten sie Schnecken.

Regenwürmer

Regenwürmer sind sehr nützliche Tiere, weil sie aus der Erde Humus machen, den Boden auflockern und somit für ein besseres Wachstum sorgen.

Mulch auf den Beeten zieht Regenwürmer an. Sie ernähren sich von den Überresten pflanzlicher Stoffe und transportieren den Mulch tief in die Erde hinein. Wenn sich also mal ein Regenwurm in Ihre Nähe verirrt, setzen Sie ihn einfach ins nächste Beet oder auf den Rasen.

Vögel

Das Vogelgezwitscher in Ihrem Garten wird Sie nicht nur erfreuen und entspannen. Vögel helfen Ihnen auch bei der Schädlingsbekämpfung, denn sie fressen Insekten und so manch anderes, was Ihre Pflanzen ruinieren kann.

Legen Sie nur im Winter bei Frost Vogelfutter aus, andernfalls gewöhnen sich die Vögel an die bequeme Speisung und verlernen, selbst nach Nahrung zu suchen.

Wer gerne mehr Vögel in seinem Garten haben möchte, kann im Frühjahr ein Vogelhaus aufhängen. Das lockt Vögel zum Brüten an. Für eine Vogeltränke ist Ihnen das Federvolk besonders im Hochsommer sehr dankbar. Denken Sie aber daran, die Tränke sicher vor Katzen aufzustellen, die halt auch nicht anders können als Vögel zu jagen.

Schädlinge

An und für sich muss man nicht gleich gegen jede Art von Schädlingen mit einer Chemiekeule vorgehen. Oft reicht es, wenn man sie mit natürlichen Mitteln aus dem Garten verjagt. Zum Beispiel halten sich Schädlinge von Obstbäumen fern, wenn man in deren Nähe *Kräuter* anpflanzt. Lavendel mit seinem starken Geruch ist bei Gartenschädlingen besonders verhasst.

Ich habe in meinem Garten eine Ecke mit *Brennnesseln.* Die geben nicht nur einen Gesundheits-Tee, sondern sind auch gut im Kampf gegen Schädlinge. Schneiden Sie die Stiele oberhalb der Wurzel ab und geben sie diese einen ganzen Tag in eine Gießkanne mit kaltem Wasser. Füllen Sie dann diese (ziemlich übelriechende) Jauche in eine Sprühflasche und besprühen Sie die Pflanzen, die von Schädlingen befallen sind.

Mit *Knoblauch* verjagen Sie nicht nur Vampire. Ein paar Zehen in die Erde gesteckt, und kein Schädling wagt sich in die Nähe Ihrer Pflanzen.

Ein paar Schädlingsarten sind jedoch hartnäckig und müssen im Zweifelsfall intensiver bekämpft werden:

Ameisen

Eigentlich sind Ameisen nützliche Tiere, aber große Mengen im Garten sollten mit dem Geruch von Lavendelpflanzen vertrieben werden. Bleiben sie hartnäckig da, können Sie sie mit heißem Wasser überbrühen, besser noch ihr Nest.

Blattläuse

Hier hilft eine Lösung aus Wasser und Schmierseife. Übergießen Sie die befallenen Pflanzen mit der Mischung. Wiederholen Sie den Vorgang so lange, bis Sie keine Läuse mehr sehen. Allerdings gehen nur die ausgewachsenen Tiere ein, nicht ihre Brut.

Lavendel vertreibt ebenfalls Blattläuse, weil diese den Geruch gar nicht mögen. Bohnen sind besonders anfällig gegen Läuse. Kapuzinerkresse neben Hülsenfrüchte gepflanzt, schützt die Pflanzen gegen den Befall.

Blutläuse

Diese Schädlinge machen sich mit Vorliebe über Ihre Obstbäume her. Bevor Sie Chemie spritzen, versuchen sie es mit Kapuzinerkresse, um den Stamm gepflanzt. Der Geruch vertreibt die Blutläuse.

Engerlinge

Ein altbewährtes Mittel gegen Engerlinge ist, dem Dünger Kalk beizumischen.

Erdflöhe
Handelt es sich um kleine Beete, die befallen sind, genügt es, Streichhölzer mit den Schwefelköpfen nach unten in die Erde zu stecken. Bei größeren Beeten setzen Sie zwischen dem Gemüse Salatköpfe, die Engerlinge nicht mögen.

Kresse hingegen ist ihr Leibgericht. Wenn Gefahr droht, müssen Sie leider auf dieses Kraut verzichten.

Kohlweißlinge
Dill zwischen Kohl gepflanzt, vertreibt diesen Schädling.

Maden
Besonders Kohl wird häufig von diesen Schädlingen befallen. Geben Sie einen Esslöffel Kalk in das Pflanzloch der Jungppflanzen, und Maden müssen sich eine neue Futterquelle suchen.

Mäuse
Die Nagetiere sind allergisch gegen den Geruch von Zwiebeln. Pflanzen Sie also in Ihrem Gemüsegarten Zwiebeln an, das vertreibt die Nager. Außerdem hilft Holundersaft, den man um die Mäuselöcher gießt.

Maulwürfe
Auch der Maulwurf ist von seinem Wesen her ein nützliches Tier. Allerdings kann er auch tierliebenden Gärtnern das Leben schwer machen. Ein relativ harmloses Mittel ist, ein mit Terpentin getränktes Tuch in die Maulwurfslöcher zu legen. Dann alles abdichten und eventuell die Behandlung wiederholen. Wenn Sie Glück haben, ist er weg!

Mehltau
Mehltau bekommt man weg, indem man etwa auf 10 l Wasser 10 g Kochsalz gibt und die Pflanzen damit besprüht.

Raupen
Wenn es sich nur um vereinzelte Fälle handelt, gönnen Sie den Raupen die Freude, ein wenig an Ihren Pflanzen zu knabbern. Aus Ihnen schlüpfen schließlich mal wunderschöne Schmetterlinge. Treten sie in Massen auf, muss man natürlich etwas tun. Eine Schmierseifenlösung ist auch hier angebracht. Kohlpflanzen können Sie schützen, indem Sie Tomaten zwischen den Kohl pflanzen. Der Geruch vertreibt Raupen und Schmetterlinge.

Spinnmilben
Zur ersten Hilfe besprühen Sie die befallenen Pflanzen mit Spülmittelwasser. Hilft das nicht, probieren Sie es mit der Brennnesseljauche.

Schnecken
Schnecken können zu einer wirklichen Plage im Garten werden.

Ein 10–15 cm breiter Ätzkalkstreifen verhindert das Eindringen von Schnecken in den Garten.

Auch der Geruch von Knoblauchpflanzen vertreibt die Tiere.

Ein altes Hausrezept gegen diese Schädlinge ist das Ausstreuen von kleingehackten Eierschalen rund um die Pflanzen.

Abends nasse Bretter oder große Blätter auf den Rasen legen; dann können sie die Schnecken morgens davon absammeln.

Wühlmäuse
Die harmlose Methode ist, im Garten überall Knoblauchzehen zu verteilen. Oft helfen aber nur, wie bei einer Maulwurfsplage, Calciumcarbid-»Bomben«. Durch das freigesetzte Gas werden die Schädlinge getötet.

Der berühmte grüne Daumen

Vom richtigen Umgang mit Zimmerpflanzen

Für viele Menschen sind Pflanzen in der Wohnung ein wichtiges Zubehör, um sich wohlzufühlen. Sie verschönern die Umgebung, ihre grüne Farbe wirkt beruhigend und sie sind gute Luftbefeuchter. Allerdings sind Zimmerpflanzen, im Gegensatz zu den einheimischen und robusteren Gartenpflanzen, oft ziemlich anspruchsvoll. Sie stammen häufig aus den Tropen und Subtropen. Daher finden sie in Wohnungen nicht immer gleich die idealen Lebensbedingungen vor. Geringes Licht, trockene Heizungsluft und kaltes Wasser lassen sie oft schon nach kurzer Zeit verkümmern. Wenn sie gut gedeihen sollen, dann benötigen sie unsere ganze Aufmerksamkeit und Pflege.

Die wichtigsten Faktoren für gesunde Pflanzen sind die richtigen Licht-, Luft- und Wasserverhältnisse, die auf jede Pflanze abgestimmt werden müssen.

Temperatur und Luft

Bei subtropischen Pflanzen sind vor allem die Temperatur und die Luft sehr ausschlaggebend. Darum unbedingt beachten:

- an Heizkörpern Luftbefeuchter anbringen oder Verdunstungsgefäße aufstellen
- immer auf eine ausreichende Entfernung der Pflanzen zum Heizkörper achten
- Pflanze in ein Torfmullbett einsenken und immer feucht halten
- Im Winter wirkt sich ein offenes Fenster nachteilig aus, wenn die kalte Luft auf die ungeschützte Pflanze einströmt.
- Durchzug ist schädlich für die Pflanzen, weil er die Wasserverdunstung anregt.

Wasser

- Feuchtigkeit löst Nährstoffe in der Erde, dadurch kann die Pflanze sie besser aufnehmen. Darum hat das Gießen doppelte Bedeutung: Bessere Zufuhr von Nährstoffen und Vermeidung des Austrocknens.
- Das Gießwasser sollte immer Zimmertemperatur haben, abgestanden sein und möglichst wenig Kalk enthalten.
- Ein durchdringendes Gießen ist bei Pflanzen, die ganz in frischer Erde stehen, unerläßlich.

Düngen

- Vor dem Düngen sollte gründlich gegossen werden.
- Gedüngt wird nur von März bis spätestens September.
- Im Winter werden nur die starkwüchsigen Pflanzen 3 bis 4 mal gedüngt.

Licht

- Viele unserer Zimmerpflanzen brauchen einen zwar möglichst hellen Standort, aber nicht immer volle Sonnenbestrahlung.
- Besonders viel Licht brauchen die buntblättrigen Pflanzen, weil nur die grüne Blattmasse Clorophyll enthält und also das lebenswichtige Licht aufnehmen kann.
- Ein leichter Vorhang an den Fenstern schützt großblättrige Pflanzen vor Verbrennungen.

Umtopfen

- Im Frühjahr, bevor die Hauptwachstumphase einsetzt, müssen die Pflanzen, bei denen der Wurzelballen zu groß geworden ist, umgetopft werden. Man verwendet dazu einen Topf, der eine oder besser gleich zwei Nummern größer ist als der alte.
- Jetzt wäre auch die richtige Zeit zum Umstellen auf Hydrokultur.

Hydrokultur

Anstelle der Erde speichern bei dieser Methode poröse Blähtonteilchen (Tongranulat) Luft und Wasser. Für den Nachschub an Nährstoffen und Wasser sorgt ein Vorrat an flüssiger Nährlösung. Die Vorteile davon sind: problemlose Düngung, seltenes Gießen und wenig Zimmerpflanzenschädlinge.

- *Von Erde auf Hydro umpflanzen:* Man muß darauf achten, daß der Topf wesentlich größer ist als der alte. Auf den Boden des Topfes kommt eine etwa 3 cm dicke Schicht Tongranulat, darauf setzt man die Pflanze mit dem Erdballen und füllt soviel Tongranulat auf, daß der Erdballen etwa 2–3 cm bedeckt ist.
- *Pflege:* Da die Pflanze ständig alte Wurzeln abstößt und neue bildet, kann Fäulnis entstehen. Darum muß man alle 3 bis 4 Monate die Nährlösung ersetzen.

Überraschende Tipps und Tricks für den Zimmergärtner

- **Wasser**, welches nach 30 Minuten noch nicht von der Pflanze aufgesogen wurde, sollte man abgießen.
- Bis auf einige wenige Ausnahmen dürfen Topfpflanzen nicht im **Wasser** stehen. Die Wurzeln beginnen dann zu faulen.
- **Kaffeesatz** eignet sich hervorragend als Pflanzendünger.
- Auch **Asche** aus dem Kamin, noch besser Holzasche, ist zum Düngen der Topfpflanzen geeignet.
- Nicht gleich wegwerfen sollte man Pflanzen, die nicht mehr blühen wollen. Versuchen Sie mal, ein paar Apfelstücke auf die Erde der Pflanze zu legen und dann ein Glasgefäß oder eine Plastiktüte über die Pflanze zu stülpen. Die aufsteigenden Gase des trockenen Apfelstückes regen die Pflanze zum **Blühen** an.
- Mit **Bier** kann man die großen Blätter einer Pflanze wieder zum Glänzen bringen. Einfach ein wenig Bier in die Sprühpistole und die Pflanze damit absprühen.
- **Verwelkte Blätter** an den Pflanzen sollten sofort entfernt werden, damit sie nicht anfangen zu faulen.
- Pflanzen lieben keine Veränderungen. Also den richtigen **Standort** suchen und die Pflanze dort belassen.

- Primeln, Alpenveilchen und Chrysanthemen mögen keine **Wasserdusche**. Verzichten Sie deshalb darauf, sie abzusprühen.
- Wenn die Pflanze kränkelt, ist oft unsachgemäßes, sprich: übertriebenes **Gießen** die Ursache. Die Erde wird dann sauer und beginnt zu faulen. Retten kann man sie aber oft noch, indem man Wasser mit einer Temperatur von ca. 65 °C in den Topf gießt.
- Im Winter muss man darauf achten, dass die Pflanzen nicht mit ihren Blättern die Fensterscheiben berühren. Die Scheibe leitet den **Frost** sonst in die Blätter der Pflanze, und sie geht ein.
- **Blattläuse** bekämpft man mit einer Mischung aus Wasser und Spiritus, die man auf die befallenen Pflanzenblätter sprüht.
- **Gummibäume** kommen mit sehr wenig Wasser aus, darum wenig gießen, aber nicht austrocknen lassen. Der Gummibaum muss hell stehen und wächst besonders gut, wenn man ihm ab und zu mal eine Kopfschmerztablette in die Erde steckt.
- **Farne** mögen eine Mischung aus Wasser und einem kleinen Schuss Milch. Auch schwarzer Tee eignet sich gut als Düngemittel für diese Pflanzen.
- **Kakteen** mögen es bekanntlich sehr trocken. Im Winter sollte man sie selten gießen und an einen hellen, ca. 10 °C warmen Platz stellen (ins Doppelfenster, in den Wintergarten). Wenn es draußen wieder wärmer wird, kann man die Pflanze wieder alle zwei Tage gießen. Im Sommer stellt man die Pflanze an einen möglichst sonnigen Ort.
- **Palmen** fühlen sich aufgrund ihrer tropischen Herkunft besonders im feuchtwarmen Bad wohl.
- Aus dem **Schlafzimmer** sollte man Pflanzen fernhalten. Wenn kein Sonnenlicht mehr vorhanden ist, verbrauchen sie eine Menge Sauerstoff. Der fehlt dann zum gesunden Schlaf.
- Nach der **Blütezeit** ruhen sich manche Pflanzen erst einmal aus. Sie brauchen dann kaum Wasser oder Dünger.

Die häufigsten Zimmerpflanzen

Anthurie (Anthurium scherzianum)
Standort: hell bis schattig bei Zimmertemperatur
Gießen: wenn die Erde trocken ist
Düngen: im Sommer nur wenig, im Winter gar nicht

Begonie (Begonia elatior)
Standort: hell, aber kein direktes Sonnenlicht
Gießen: immer feucht halten und nicht austrocknen lassen
Düngen: wenig

Croton (Codiaeum variegatum)
Standort: leichter Schatten, nur wenig Sonne
Gießen: nur wenn die Erde trocken ist
Düngen: regelmäßig

Diffenbachia (Diffenbachia maculata)
Standort: leicht schattig
Gießen: wenn die Erde trocken ist
Düngen: regelmäßig

Efeu (Hedera helix)
Standort: leichter Schatten
Gießen: nur wenn die Erde trocken ist
Düngen: regelmäßig

Englische Pelargonie (Pelargonium grandiflorum hyb.)
Standort: hell, volles Sonnenlicht
Gießen: wenn die Erde trocken ist; nicht zu viel
Düngen: im Sommer regelmäßig

Gloxinie (Siningia hyb.)
Standort: halbschattig bis hell
Gießen: wenn die Erde trocken ist; vermeiden, dass Wasser auf die Blätter kommt.
Düngen: nur sehr wenig

Hirschgeweihfarn (Platicerium bifurcatum)
Standort: hell
Gießen: regelmäßig
Düngen: regelmäßig

Kalanchoe (Kalanchoe blossfeldiana)
Standort: hell bis leichter Schatten
Gießen: wenn die Erde trocken ist
Düngen: nicht düngen

Pantoffelblume (Calceolaria hyb.)
Standort: sehr hell, aber keine direkte Sonne
Gießen: regelmäßig, darf nie austrocknen
Düngen: regelmäßig

Phönix (Phonix canariensis)
Standort: volles Sonnenlicht
Gießen: wenn die Erde trocken ist
Düngen: regelmäßig

Tasmanischer Baumfarn (Diesonia antarctica)
Standort: hell, aber kein direktes Sonnenlicht, Zimmertemperatur
Gießen: wenn die Erde trocken ist, den Stamm jedoch täglich besprühen
Düngen: mit Langzeitdünger 2 bis 3 mal im Jahr

Usambaraveilchen (Saintpaulia ionatha)
Standort: hell, aber kein direktes Sonnenlicht, Zimmertemperatur
Gießen: nur wenn die Erde trocken ist
Düngen: im Sommer nur ein wenig, im Winter gar nicht

Weihnachtsstern (Euphorbia pulcherima)
Standort: sehr hell, braucht viel Licht
Gießen: wenn trocken
Düngen: nach der Blüte

Zykalme (Cyclamen persieum)
Standort: hell, aber kein direktes Sonnenlicht, kühl
Gießen: regelmäßig in den Untersatz, immer feucht halten
Düngen: regelmäßig nach der Blüte

Gartenkalender rund ums Jahr

Kleiner Planer für die Gartenarbeit

Jeder, der schon mal einen Garten hatte, weiß, wieviel Arbeit in seiner Pflege steckt. Das ganze Jahr gibt es was zu graben, pflanzen, jäten, säen und ernten. Aber die Mühe lohnt sich!

Spätestens, wenn Sie die Früchte Ihrer Arbeit ernten, merken Sie, dass Selbstgepflanztes einfach leckerer ist. Außerdem sind Sie bei diesen Beschäftigungen ständig an der frischen Luft und bewegen sich, und das ist ein weiterer positiver Nebeneffekt.

Mein Gartenkalender kann Ihnen nur Anregungen geben, was Sie in Ihrem Garten anpflanzen können. Für genaue Anweisungen Schritt für Schritt reicht der Platz in diesem Buch leider nicht aus.

Januar

Kompost umsetzen

In diesem Monat kostet es schon etwas Überwindung, Gartenarbeit zu leisten.

Obwohl an blühende Pflanzen noch nicht zu denken ist, gibt es notwendige Dinge zu tun.

Der Komposthaufen muss im Winter einmal umgesetzt werden. Achten Sie darauf, dass das Äußere nach Innen und das Innere nach Außen geschaufelt wird. Zur Belüftung wird die eventuell gefrorene Außenschicht aufgestapelt und der Rest darüber gedeckt.

Gute Komposterde kann auch bei frostigem Wetter auf die Beete gegeben werden.

Um den Rasenflächen neue Kraft und Farbe zu geben, kann bei frostfreiem Wetter gesiebte Komposterde (ca. 2 cm) mit Kali vermischt überstreut und gut eingeharkt werden.

Februar

Anpflanzen: Kopfsalat im Gewächshaus
Sonstige Arbeiten: Frühbeet bauen, Baumschnitt, Reparaturen

Ziehen Sie sich warm an – aber nicht zu warm. Denn es gibt viel zu tun! Im Februar haben wir Zeit nachzuschauen, ob der Garten für die Sommersaison gewappnet ist. Sehen Sie nach, ob Ihr Frühbeet in Ordnung ist, oder richten Sie sich eines ein. Wer ein Gewächshaus hat, kann Ende Februar *Kopfsalat* anpflanzen.

Jetzt ist die richtige Zeit für den *Baumschnitt.* Ich lasse das allerdings von einem Fachmann machen, weil man dabei viel verderben kann. Wer unbedingt seine Pflanzen und Bäume mit Chemiekeulen vor Schädlingen schützen will, kann jetzt eine Winterspritzung vornehmen.

Und wer dann noch Lust und Zeit hat, sollte sich im Garten umsehen, was repariert werden muss: Kaputte Zäune flicken, Gartenwege ausbessern, Schlösser ölen, Steine setzen – die Arbeit hört niemals auf! Getröstet werde ich jedes Jahr durch den Anblick der ersten Winterlinge, die durch die Schneedecke kommen.

März

Anpflanzen: Kohlrabi, Blumenkohl im Gewächshaus
Aussaat: Radieschen und Möhren im Gewächshaus, Kohlrabi, Erbsen und Petersilie im Freiland
Sonstige Arbeiten: Winterschutz entfernen, Boden lockern und mulchen

Bevor es mit dem Säen und Pflanzen losgeht, sollte man einige Vorbereitungen für die Hauptsaison treffen. Dazu gehört für mich, zu überprüfen, ob die Regentonnen den Winter überstanden haben und ob die Gehwegplatten frei von Unkraut und Moos sind, da sie sonst auf die Dauer zerstört werden. Sehen Sie auch unbedingt nach, ob die Wasserleitung o.k. ist. Im nächsten Monat wird sie dringend gebraucht. Aber halten Sie sich nicht zu lange damit auf, denn wer einen richtigen Gemüsegarten zur Selbstversorgung haben will, muss im März loslegen.

In meinem Kleingewächshaus pflanze ich Anfang März *Kohlrabi* (Pflanzenabstand 25 x 25 cm) und *Blumenkohl* (30 x 40 cm). Achten Sie darauf, dass der Blumenkohl mehr Platz benötigt. Wer Platz hat und früh ernten will, kann dort auch Möhren und Radieschen aussäen. Wer warten möchte, kann dann Ende März mit der Aussaat von *Kohl* und *Erbsen* im Freiland beginnen.

Schon Mitte März säe ich mein erstes Küchenkraut, die *Petersilie*, auf halbschattigem Boden aus.

Wenn im März der Boden schon frostfrei ist, kann man anfangen, den *Frostschutz* von den Pflanzen, besonders den Stauden und den Rosen zu entfernen. Wer Erdbeerpflanzen im Garten hat, muss in diesem Monat das alte Laub von den Pflanzen nehmen, den *Boden lockern* und *mulchen.*

April

Anpflanzen: Frühkartoffel, Blumenkohl
Aussaat: Markerbsen, Herbst-Kohlrabi
Sonstige Arbeiten: Schalerbsen anhäufeln, Pflanzenstützen anbringen, Buchsbäume beschneiden, Oleander u. ä. wieder rausstellen, neu gepflanzte Beete gut gießen

Leider ist mein Garten zu klein für den Anbau von Wein. Wer jedoch Platz hat und die enorme Arbeit nicht scheut, für den ist in den ersten Tagen des Monats der letzte Zeitpunkt für den Winterschnitt der Reben.

Ab Mitte April in nährstoff- und humusreichen Boden gelegt, gedeiht die Frühkartoffel. Unbedingt notwendig ist eine freie, sonnige Lage. Falls es noch zu kalt im Boden ist, warten Sie lieber bis zum Ende des Monats. Einmal angebaut, wollen Sie auf diese tolle Knolle nie wieder verzichten. Anfang bis Mitte April kann man beginnen, die Markerbsen auszusäen. Ende April müssen die im März ausgesäten Schalerbsen angehäufelt werden. Auch an eine Stütze aus gespannten Schnüren für die Pflanzen sollte man jetzt denken.

Der Frühkohlrabi ist noch nicht geerntet, und trotzdem ist es schon an der Zeit, den Herbst-Kohlrabi, der bis zum ersten Frost geerntet werden kann, auszusäen. Achten Sie auf die Pflanztiefe, die nicht größer sein darf als beim Frühjahrskohl.

Ist Ihnen der Buchsbaum übers Ziel hinausgeschossen, ist der April der richtige Monat zum Zurückschneiden. Wenn es nicht zu kalt ist, stelle ich meine Balkonpflanzen, die im Keller überwintern mussten, wieder in den Garten. Dazu gehören u. a. der Oleander und die Clematis.

Im April kann es schon recht warm sein. Wenn nicht genug Niederschläge fallen, müssen insbesondere alle neuangepflanzten Beete gut gegossen werden.

Mai

Anpflanzen: Tomaten, Buschbohnen, Schnittlauch, Sellerie, Rosenkohl, Porree, Brokkoli, Paprika
Aussaat: Kopfsalat, Möhren, Rettich, Bohnen, Gurken, Kürbis
Sonstige Arbeiten: Unkraut jäten, düngen, Rasen neu anlegen und den ganzen Garten gut wässern

Der im April gepflanzte Blumenkohl muss nun reichlich mit einem stickstoffreichen Volldünger und viel Wasser vom Stocken abgehalten werden. Mitte des Monats kommt die Bohnensaat in den warmen und sonnigen bis halbschattigen Boden. Volle Sonne benötigen die Tomatenpflanzen, am besten eine Südwand. Ein kräftiger Stamm und viel grünes und dichtes Laub an der Pflanze versprechen bei guter Pflege eine schöne Ernte. Pflanzen Sie nur, wenn das Wetter schon stabil warm ist. Pflanzen Sie die Tomaten schräg ein. Der Stiel kann ruhig ein wenig mit der Erde bedeckt sein. Die Pflanze erhält dadurch einen größeren Wurzelballen. Vergessen Sie nicht, die Tomatenpflanze gleich an einen langen Stock festzubinden, damit sie besser nach oben wachsen kann. Und dann heißt es viel Gießen. Ab Mitte Mai können Sie außerdem Schnittlauch, Sellerie und Ende Mai Rosenkohl, Brokkoli und Paprika einpflanzen. Mit der Aussaat von Kopfsalat, Möhren, Rettich, Bohnen, Gurken und Kürbis sollten Sie Mitte Mai fertig sein.

Das Unkraut sprießt im Mai besonders gut. Da es dem Boden Nähstoffe und Wasser entzieht, muss man die Vermehrung eingrenzen. Die Bodenoberfläche muss mit einer Hacke aufgebrochen und damit der Boden belüftet werden. Und dann heißt es runter auf die Knie und das Unkraut jäten. Dieser Vorgang muss natürlich mehrmals im Jahr wiederholt werden.

Ein anderes leidiges Thema im Frühjahr sind die Nacktschnecken. Sie machen sich mit Vorliebe über die Jungpflanzen her. Ihre Bekämpfung ist Gewissensfrage. Ich mag in meinem Garten möglichst wenig Chemie anwenden, deshalb sammle ich die Viecher abends ein und übergieße sie mit Brennessellauge. Kein schöner Tod, aber mein Garten ist mir wichtiger!

Auch der neu angelegte Rasen braucht viel Wasser. Fünf Liter pro Quadratmeter und Tag sind optimal. Dem Gießwasser wird nährstoffreiche Lösung zum Düngen beigesetzt.

Um die Obstbäume vor dem Abfallen der Fruchtansätze zu schützen, muss man bei Trockenheit auch diese reichlich wässern.

Juni

Anpflanzen: Grünkohl, Kohlrabi, Blumenkohl, Kopfsalat, Rotkohl, Schnittlauch, Porree
Aussaat: Bohnen, Möhren, Chicorée, Radieschen, Rettich, Zuckermais
Ernte: Blumenkohl, Möhren, Brokkoli, Erbsen, Kohlrabi, Zwiebeln, Kopfsalat
Sonstige Arbeiten: Unkrautbekämpfung, Gießen

Obwohl ich im Mai Unkraut gezupft habe, ist es jetzt schon wieder überall vertreten. Besonders Vogelmiere und Ackerschachtelhalm müssen unbedingt beseitigt werden. Wer besonders effektiv sein will, sollte die Erde mulchen, dass heißt, dass der Boden gut aufgelockert und mit Mistdung, Rindenmulch oder Torf bedeckt wird.

Haben Sie schon mal Gartengurken gegessen? Wer sie selbst anbauen will, muss das in den ersten Junitagen tun. Auch Buschbohnen und Blumenkohl lohnen sich im Juni nochmals anzubauen. Wenn die Erbsen geerntet sind, eignet sich als Zwischenpflanzung Kohlrabi.

Radieschen kann man im Juni immer aussäen. Sie können dann den ganzen Sommer ernten.

Die Stabtomaten werden in diesem Monat besonders von mir gepflegt. Die seitlichen Triebe beschneide ich, damit die Pflanzen mehr Kraft bekommen.

Und abends kann meine Familie am Abendbrottisch die ersten geernteten Möhren und Kohlrabi genießen.

Juli

Anpflanzen: Endiviensalat, Kopfsalat, Blumenkohl, Kohlrabi
Aussäen: Möhren
Ernte: Blumenkohl, Brokkoli, Kohlrabi, Kopfsalat, Kürbis, Gurken, Bohnen, Zuckermais
Sonstige Arbeiten: Unkrautbekämpfung, Mückenjagd, Rasen anlegen, Bäume und Sträucher beschneiden

Anfang Juli hat man noch Zeit, die letzten Bohnen zu pflanzen, später wird es zu frisch für die Pflänzlein. Außerdem ist es die richtige Zeit für Endivien- und Kopfsalat. Wer wie unsere Familie gerne Blumenkohl und Kohlrabi ißt, für den lohnt sich das Anpflanzen allemal. Bevor man Ende Juli mit der Gurkenernte beginnt, muss vorher reichlich gegossen werden. Achten Sie auch auf Pilzbefall der Gurkenblätter.

Eigene Erdbeeren sind im Garten etwas besonderes. Denken Sie jedoch bei der Ernte daran, dass Sie die Pflanzen nicht länger als drei Jahre im Beet lassen sollten. Danach müssen Sie entweder neue kaufen oder Jungpflänzchen selber ziehen. Wie man das macht, können Sie in jedem guten Fachbuch nachlesen.

Den Süßkirschbaum schneide ich alle zwei Jahre gleich nach der letzte Ernte. Auch der Johannes- und Stachelbeerstrauch tragen größere Früchte, wenn man nur wenige verholzte Triebe für das nächste Jahr stehen lässt.

Ende Juli sollte man den neuen Rasen angelegt haben. Gießen und düngen sie diesen wie schon beschrieben.

Meine größten Feinde im Juli sind die Mücken. Von unserem Garten werden sie besonders angezogen, weil wir zwei Regentonnen für das Gießwasser und einen kleinen Teich haben. Vom Teich werden die nistwilligen Mücken allerdings gleich verjagt, weil sich Fische und Frösche darin befinden. Auch für die Regentonne gibt es einen kleinen Trick: Geben Sie wenige Tropfen Speiseöl hinein, die Mückenlarven bekommen keine Luft und ersticken. Ganz weg sind die lästigen Viecher nun trotzdem nicht, aber ein paar weniger sind es schon. Wenn bei Ihnen persönlich kein Mückenschutz hilft, gibt es zur Vorbeugung von Entzündungen etwas Gutes aus dem Reformhaus oder aus der Apotheke: Kieselerde kühlt und lässt Schwellungen zurückgehen; auch bei Sonnenbrand ist sie übrigens ein gutes Mittel.

August

Aussaat: Petersilie
Ernte: Tomaten
Sonstige Arbeiten: Tomatentriebe schneiden, Beete abdecken

Im August können Sie im Garten so richtig ausspannen, die Sonne und das frische Obst und Gemüse genießen. Aussäen müssen Sie nur noch Petersilie, wenn Sie möchten. Die können Sie dann auch noch das ganze nächste Jahr ernten, wenn Sie im Winter das Beet gut mit Reisig abdecken.

Schon Mitte des Monats können Sie die ersten roten, noch nicht ganz reifen Tomaten ernten. Bei Zimmertemperatur und schattig gelagert, reifen sie schnell nach. Der Rest ist Ende August reif. Außerdem sollten Sie die Triebspitzen abschneiden, denn diese Tomaten haben keine Zeit mehr, reif zu werden.

September

Tulpen-, Narzissen- und Hyazinthenzwiebeln in den Boden legen, Gladiolen und Dahlien rausnehmen

Im September gibt es außer dem Ernten der letzten Sommersaat keine »Gemüse«-Arbeit mehr.

Um aber im April die ersten Frühjahrsboten in den Beeten zu sehen, müssen die Tulpen-, Narzissen- und Hyazinthenzwiebeln in den Boden gelegt werden. Diese Blumen sind mehrjährig, und die Zwiebeln müssen nach der Pflanzenblüte abgeschnitten und gut getrocknet werden. Achten Sie darauf, dass der Haarkranz der Hyazinthenzwiebel beim Abschneiden nicht beschädigt wird. Danach können sie sortenrein luftig und trocken überwintern.

Gladiolen sollte man schon im September aus dem Boden nehmen und ca. 10 cm über den Zwiebeln abschneiden und trocknen.

Oktober

Anpflanzen: Obstbäume, Rosen
Sonstige Arbeiten: Umgraben, Komposthaufen umsetzen, Wintervorbereitung

Wer Obstbäume oder Rosen pflanzen will, sollte das im »goldenen Herbst« tun. Achten Sie darauf, dass Sie nicht zu schwächliche Pflanzen kaufen, schließlich müssen die Bäumchen bald den ersten Frost überstehen. Pfirsiche, Aprikosen, Brombeeren, Quitten und Walnüsse müssen mit dem Anpflanzen noch bis zum Frühjahr warten.

Der Oktober gibt der Natur nochmal schöne Farben, bevor es dann richtig unangenehm wird.

Deshalb nutze ich die Zeit für Wintervorbereitungen. Dazu gehört das Umgraben der freigewordenen Beete. Lassen Sie ruhig große Erdklumpen liegen, dadurch kann mehr Niederschlag in den Boden eindringen.

Bevor der Frost einsetzt, muss der Komposthaufen noch einmal umgesetzt werden. Ein letztes Unkrautzupfen vor dem Winter erleichtert die Arbeit im nächsten Frühjahr.

Zum Schluß sichern Sie Gartenschläuche, Wasserleitung und Regentonne vor dem Winterfrost, der nun bald vor der Tür steht.

November

Anpflanzen: Obst- und Laubbäume, Himbeeren
Ernten: alle Kohlsorten außer Weiß-, Grün- und Rosenkohl
Sonstige Arbeiten: Frostschutz

Im November haben Sie noch Zeit, Obstbäume und Himbeersträucher anzupflanzen.

Alle Pflanzen, die empfindlich gegen Frost sind, müssen mit einer Schutzschicht aus Reisig, Mulch oder Torf abgedeckt werden. Sie erleben sonst nicht das Frühjahr. Vor dem ersten Frost müssen auch unbedingt alle Kohlsorten geerntet werden, außer Weiß-, Grün- und Rosenkohl, die den Frost brauchen.

Wenn Sie im Garten Platz für Laubbäume haben, können Sie diese im November pflanzen. Voraussetzung ist, dass das Laub von den Bäumen ist und der Boden genug Feuchtigkeit hat.

Spätestens jetzt muss die Wasserleitung abgestellt und entleert werden.

Dezember

Frostschutz, Schädlingsbekämpfung

Der Dezember ist dazu da, empfindliche Pflanzen wie Rosen und Stauden mit Tannen- oder Fichtenzweigen abzudecken. Ansonsten schaue ich mir den Geräteschuppen und unsere kleine Laube an, ob sich dort Mäuse angesiedelt haben. Wenn ja, muss ich sie leider vertreiben, denn sie können größeren Schaden anrichten.

Jetzt ist ein Gartenjahr um. Und spätestens nach den Feiertagen locken mich mein Garten und die frische Luft, wieder rauszugehen und nachzuschauen, was ich dort graben, jäten, pflanzen, säen und ernten kann.

Garten-Highlights aus dem »Aldidente-Schnäppchenplaner« von Hagen Rudolph

Für Preise und Informationen wurden Unterlagen aus 1999 und 2000 herangezogen.

Preise in DM. Aufgrund diverser Unwägbarkeiten kann sich der Termin um plus/minus ein bis zwei Wochen verschieben.

Ast-/Durchforstungsschere

Amboss-Schneidsystem, mit Antirutschhaken, gehärtete, teflonbeschichtete Schneidklinge, stabile Stahlrohrschenkel, alle Metallteile rostgeschützt, für Äste bis ca. 4,5 cm Durchmesser.

Aldi-Nord:	Woche 7	7,98
Aldi-Süd:	Woche 10	7,98

Aufbewahrungstaschen für Gartenstuhlauflagen

für je 4 Hoch- oder Niederlehnerauflagen, aus wetterfestem Kunststoff, in verschiedenen Farbstellungen, mit Reißverschluss und Tragegriff.

Aldi-Nord:	Woche 18	4,99
Aldi-Süd:	Woche 29	5,98

Balkonkasten-Langzeitdünger, 1-kg-Faltschachtel

Umhüllter Spezialdünger für Balkon-, Kübel- und Beetpflanzen.

Aldi-Nord:	Woche 16	5,98
Aldi-Süd:	Woche 17	5,98

Blumen-Zwiebeln, Beutel

Dahlien, 4 Stück; Lilien, 8 Stück; Fresien, 60 Stück; Iris, 60 Stück; Anemonen, 60 Stück.

Aldi-Nord:	Woche 9	1,99
Aldi-Süd:	Woche 10	1,99

Elektro-Heckenschere

460 Watt Leistung, Motorgehäuse aus bruchsicherem Kunststoff, Messerlänge ca. 52 cm, 3.000 Messerbewegungen/min. im Leerlauf, 2-Hand-Sicherungsschaltung mit Messerstopp, 24 Monate Garantie.

Aldi-Nord:	Woche 19	69,98
Aldi-Süd:	Woche 10	69,90

Exotischer Pflanzenmix

Jede Pflanze mit hochwertigem, z.T. handbemalten Keramikübertopf, Pflanzensorten z.B. Nolina, Ficus Natasja u.a.

Aldi-Nord:	Woche 23	4,99
Aldi-Süd:	Woche 23	4,99

Garten-Klapptisch

Nord: aus Vollkunststoff, rund, Ø ca. 98 cm, Höhe ca. 72 cm, UV-stabil, witterungsbeständig, 5 Jahre Garantie. Süd: Tischplatte ca. 132 x 90 cm, Höhe ca. 71 cm, stabiles Vierbein-Gestell aus Stahlrohr, Tischplatte witterungsbeständig.

Aldi-Nord:	Woche 17	79,98
Aldi-Süd:	Woche 15	99,50

Garten-Kleingeräte

Kleinrechen; Grasharke; Pflanzkelle; Hacke mit Rechen; Grubber. Verschiedene Garten-Kleingeräte aus hochwertigem Qualitätsstahl, korrosionsgeschützt durch Pulverbeschichtung, mit handlichem Kunststoffgriff mit Aufhängevorrichtung.

Aldi-Nord:	Woche 9	1,79
Aldi-Süd:	Woche 10	1,79

Gartengeräte mit Stiel

Garten-Grubber, pulverbeschichtet; Garten-Rechen, pulverbeschichtet; Garten-Hacke, pulverbeschichtet; Laubbesen; Straßenbesen.

Aldi-Nord:	Woche 12	6,98
Aldi-Süd:	Woche 15	6,98

Gartenhäcksler

Zerkleinert Äste bis max. 35 mm Ø; 2000 Watt/230 Volt/50 Hz; Fahrgestell mit 2 Rädern; schräggestellte Messerplatte mit 2 Wendemessern aus Chromex-Stahl; Sicherheitsschalter mit Wiederanlaufschutz, 1 Jahr Garantie.

Aldi-Nord:	Woche 43	199,–
Aldi-Süd:	Woche 38	229,–

Gartenschlauch-Garnitur

½ Zoll in Trikotgewebe, 12-fach gezwirnt, elastisch, verdrehsicher, Länge ca. 20 m, mit Hahnanschluss, Schlauchstück und Wasserstopp und Spitze, 15 Jahre Garantie.

Aldi-Nord:	Woche 17	11,98
Aldi-Süd:	Woche 10	12,98

Grabegabel oder Gärtnerspaten

Beide Artikel aus Edelstahl, rost- und säurebeständig, mit klarlackiertem Eschen-T-Stiel, Gesamtlänge 1,15 m, Gabel mit 4 gehärteten Zinken, Spaten mit gehärtetem Blech.

Aldi-Nord:	Woche 14	22,98
Aldi-Süd:	Woche 15	25,90

Grünpflanzen-/Palmen-Sortiment

Pflanzhöhe Nord: ca. 70 cm, Süd: mind. 90 cm, im 13/14-cm-Topf, mit Pflegeanleitung, Sorten wie z. B.: Areca-Palme, Phönix-Palme, Yucca, Dracaena marginata, Chamoedorea.

Aldi-Nord:	Woche 5	3,99
Aldi-Süd:	Woche 25	7,98

Herbstblumenzwiebeln

Verschiedene Sorten wie z. B.: Tulpen-Zwiebeln, Größe 10/11, 20 Stück/Netz; Narzissen-Zwiebeln, Größe 12/14, 20 Stück/Netz; Krokus-Mischung, Größe 7/8, 25 Stück/Netz mit Kulturanleitung.

Aldi-Nord:	Woche 36	1,79
Aldi-Süd:	Woche 37	2,49

Hochlehner-Sesselauflage

Bezugsstoff aus reiner Baumwolle, Schaumstoff-Vliesfüllung ca. 8 cm dick, Abmessungen: 50 x 123 cm, in verschiedenen Dessins.

Aldi-Nord:	Woche 18	22,98
Aldi-Süd:	Woche 15	19,98

Klapp-Roll-Liege

Nord: Vollkunststoff mit Wendeauflage aus reiner Baumwolle. Stufenlos verstellbares Rücken- und Sitzteil, hochglänzend, UV-stabil, witterungsbeständig, 5 Jahre Garantie auf Rahmen. Süd: weißlackiertes Stahlrohrgestell.

Aldi-Nord:	Woche 17	159,–
Aldi-Süd:	Woche 15	99,50

Rasendünger, 3-kg-Packung

mit Langzeitwirkung, für ca. 130 qm.

Aldi-Nord:	Woche 11/25	3,79
Aldi-Süd:	Woche 10	3,98

Rhododendren, Koniferen, immergrüne Ziergehölze

Nord: Pflanzen im 13er-Topf mit Pflanzanleitung. Süd: Rhododendron-Büsche, robuste, winterharte Pflanzen in verschiedenen Farben, Ø ca. 40–50 cm.

Aldi-Nord:	Woche 12/36	4,99
Aldi-Süd:	Woche 12	12,98

Rosen mit Wurzelballen

A-Qualität; Beetrosen, Wuchshöhe: ca. 40–80 cm; Edelrosen, Wuchshöhe: ca. 60–100 cm; Kletterrosen, Wuchshöhe: ca. 2–3 m.

Aldi-Nord:	Woche 10	1,99
Aldi-Süd:	Woche 10	1,99

Rosen-/Gartenschere

Aluminiumkörper, poliert und entgratet, kunststoffüberzogene Griffe, Schneideklinge teflonbeschichtet und poliert, Hakenklinge mit Saftrille, verstellbare Rasterscheibe, alle Metallteile rostgeschützt.

Aldi-Nord:	Woche 12	2,79
Aldi-Süd:	Woche 10	2,98

Schalen-Relax-Liege mit Wendeauflage

Stahlrohrgestell, wetterfest beschichtet, Rückenlehne 4-fach verstellbar.

Aldi-Nord:	Woche 18	89,98
Aldi-Süd:	Woche 15	79,90

Schnellkomposter, 5-kg-Packung

Beschleunigt die Kompostierung von Garten- und Küchenabfällen. Enthält natürliche, organische Bestandteile.

Aldi-Nord:	Woche 33	4,29
Aldi-Süd:	Woche 18	4,98

Spezialdünger, je 2,5-kg-Packung

Organisch-mineralischer Spezialdünger mit zusätzlichem Anteil von Natur-Guano und Hornspänen, in den Sorten; Rhododendron-Dünger; Tannen-Dünger; Rosen-Dünger; Beeren-Dünger.

Aldi-Nord:	Woche 11	2,99
Aldi-Süd:	Woche 10	3,98

Stauden-Frühjahrs-Sortiment

Verschiedene Sorten im eckigen 9-cm-Topf, mit Pflanzanleitung.

Aldi-Nord:	Woche 16	1,79
Aldi-Süd:	Woche 13	0,99

Tischdecken-Set für Haus und Garten

Bestehend aus einer Untertischdecke, Größe ca. 130 x 160 cm oder Ø 160 cm, mit einer Mitteldecke, Größe ca. 80 x 80 cm, fleck- und wasserabweisend ausgerüstet, aus reiner Baumwolle, in verschiedenen Dessins.

Aldi-Nord:	Woche 22	11,98
Aldi-Süd:	Woche 20	15,98

Teil 5: Gesundheit

Die Natur ist die größte Apotheke der Welt. Die Naturheilkunde war viele Jahrhunderte lang das einzige Mittel im Kampf gegen Schmerzen und Krankheiten. Bis heute wird sie von vielen Ärzten und Patienten als sinnvolle Ergänzung zur Schulmedizin angesehen.

In diesem Kapitel konzentriere ich mich auf die Anwendung von Kräutertees, Wickeln und Kompressen sowie Bädern für den Hausgebrauch. Vielen kleinen Wehwehchen kann damit abgeholfen werden. Auch ätherische Öle sind aus modernen Haushalten nicht mehr wegzudenken, aber oft geht es den Menschen nur um die Wohlgerüche und sie wissen nicht um die Heilkraft der natürlichen Pflanzendüfte. Auch über die Aromatherapie erfahren Sie deshalb einiges in diesem Teil des Buches.

Allerdings sollte man bei der Anwendung und Zubereitung von Heilpflanzen nicht mehr Omas altes Kräuterbuch verwenden, weil sich zum Beispiel durch die Elektro- oder Gasherde in unseren Küchen die Hitze vergrößert hat und somit die Kochzeit von Tees viel kürzer geworden ist. Frische Kräuter schmecken und riechen intensiver als lange aufbewahrte. Viele sind einfach im Garten oder auch auf dem Balkon anzubauen. Frisch getrocknete sind schon in kleinen Mengen in der Apotheke erhältlich. Wem das zu aufwendig oder zu teuer ist, kann zum täglichen Gebrauch mit gutem Gewissen die verschiedenen Beuteltees bei ALDI kaufen. Zu beachten ist jedoch wie bei Gewürzkräutern, die Teebeutel kühl, trocken und nicht bei Sonnenlicht aufzubewahren, weil sonst mit dem Duft auch ihre Heilwirkung verfliegt.

Die Gesundheitstipps in diesem Buch sind selbstverständlich nur Vorschläge zur sanften Heilung. Bei ernsthaften oder langanhaltenden gesundheitlichen Problemen sollten Sie einen Arzt Ihres Vertrauens aufsuchen.

Kräuterhexentees für den Anfänger

Von Anis bis Zinnkraut

Kräuter, Beeren, Früchte	Hilft gegen ...
Anis	– Blähungen – Krampflösend bei Magen-Darm-Beschwerden – Schleimlösend bei Husten
Baldrian	– Unruhe – Herzbeschwerden – Schlafstörungen
Beinwell	– Bindegewebsschwäche wie Hämorrhoiden und Blutergüsse – Nervenverletzungen – Knochenerkrankungen
Bohnenkraut	– Grippe – Impotenz – Menstruationsbeschwerden – Depressive Stimmungen
Brennnessel	– Unterstützt die Entschlackung – Rheumabeschwerden
Brombeeren	– Magen-Darm-Beschwerden – Atemwegserkrankungen
Eibisch	– Beschwerden im Mund- und Rachenraum – Husten
Eisenkraut	– Allergien – Akne – Gicht – Nervosität – Verstopfung – Menstruationsbeschwerden
Erdbeerblätter	– Arthrose – Blasenentzündung – Rheuma – Gicht
Fenchel	– Magen-Darm-Beschwerden – Übellaunigkeit
Hagebutten	– Erkältung – Zur Stärkung der Abwehrkräfte – Frühjahrsmüdigkeit
Heidekraut	– Gallenschmerzen – Rheuma – Gicht – Harnwegserkrankungen
Holunderblüten	– Erkältungen – Stärkt die Abwehrkräfte
Huflattich	– Beschwerden im Mund- und Rachenraum – Trockener Reizhusten
Johanniskraut	– Erschöpfung – Nervosität – Wechselbeschwerden
Kamille	– Magen-Darm-Beschwerden – Entzündungshemmend – Erkrankungen der oberen Luftwege – Unreine Haut
Kümmel	– Magen-Darm-Beschwerden
Lavendel	– Wirkt beruhigend und schlafbringend – Allergien – Erkrankungen der oberen Luftwege – Durchfall – Gürtelrose

Lindenblüten	– Erkältungen – Grippe – Krämpfe im Magen
Lorbeer	– Rheuma – Asthma
Majoran	– Vergesslichkeit – Arterienverkalkung
Melisse	– Zur Beruhigung und bei Einschlafstörungen – Magen-Darm-Beschwerden – Husten
Pfefferminze	– Übelkeit und Erbrechen – Durchfall
Rosmarin	– Halsschmerzen – Bronchitis – Krämpfe – Müdigkeit
Salbei	– Halsentzündung – Blasenentzündung – Magen-Darm-Beschwerden
Schafgarbe	– Magen-Darm-Beschwerden – Akne – Schlafstörungen – Menstruationsbeschwerden – Appetitlosigkeit
Spitzwegerich	– Trockener Husten
Thymian	– Husten und Asthma – Prostataprobleme – Verdauungsstörungen
Wacholderbeeren	– Wechselbeschwerden – Angina – Arterienverkalkung – Asthma
Zinnkraut	– Blasenkatarrh – Polypen – Bindegewebsschwäche

Wer seine eigenen Heilpflanzentees mischen und zubereiten will, dem sei hier mit einigen Rezepten aus der Hexenkräuterküche geholfen. Teemischungen wirken oft intensiver als eine Einzelzubereitung, da sich die gemischten Pflanzenanteile ergänzen und so die Gesamtwirkung verstärken. Zum Abschmecken Ihres Lieblingstees können Sie auch gerne verschiedene Teebeutel zusammen probieren, bevor Sie im Garten die Kräuter und Beeren pflücken oder zu Ihrem Apotheker gehen. Der stellt Ihnen übrigens in der Regel auch gerne kleine Portionen zum Probieren zusammen und berät Sie, welche Kräutertees gegen Ihr Leiden helfen. Zum Süßen können Sie, wenn der Tee die Trinktemperatur erreicht hat, Honig zugeben. Er enthält auch Stoffe, die das Wachstum der Bakterien verhindern, Krankheitserreger abtöten können, und dient zur Stärkung der Abwehrkräfte. Kindern sollte man Honig erst ab 1–2 Jahren geben, da er einen für Säuglinge und Kleinkinder gefährlichen Krankheitserreger enthalten kann.

Wenn ein Kräutertee Ihnen helfen soll, trinken Sie, wenn nichts anderes vorgeschrieben ist, mindestens 3–4 Tassen am Tag langsam und in kleinen Schlucken. Am besten kann ein Kräutertee seine Heilwirkung entfalten, wenn er morgens auf nüchternen Magen getrunken wird.

Kräuterteemischung bei Blähungen

1 Teil Anis
2 Teile Fenchel
1 Teil Kümmel

Bestandteile im Mörser leicht zerstoßen, die Heilwirkung kann sich dann besser entfalten. 1 TL der Mischung mit ¼ l heißem Wasser überbrühen und 10 Minuten zugedeckt ziehen lassen, durch ein Sieb geben und so heiß wie möglich trinken.

Bauchschmerzentee

1 Teil Kamille
1 Teile Melisse
1 Teil Pfefferminze
1 Teil Brombeere

1 TL der Mischung mit ¼ l heißem Wasser überbrühen und 10 Minuten ziehen lassen, durch ein Sieb geben und so heiß wie möglich trinken.

Hustentee

1 Teil Salbei
1 Teil Spitzwegerich
1 Teil Huflattich

2 TL der Mischung mit ¼ l heißem Wasser überbrühen und 10 Minuten zugedeckt ziehen lassen, durch ein Sieb geben und so heiß wie möglich trinken.

Zur Geschmacksverstärkung und Vitamin C-Anreicherung kann man außer Honig etwas Zitronensaft in den Tee geben.

Erkältungstee

1 Teil Holunderblüten
1 Teil Lindenblüten
1 Teil Thymian
1 Teil Lavendel

1 TL der Mischung mit ¼ l heißem Wasser überbrühen und 10 Minuten ziehen lassen, durch ein Sieb geben und so heiß wie möglich trinken. Auch diesem Tee können Sie in paar Spritzer Zitronensaft zugeben.

Beruhigungs- und Einschlaftee

1 Teil Johanniskraut
1 Teil Melisse
1 Teil Lavendel
1 Teil Schafgarbe
1 Teil Baldrian

1 TL der Mischung mit ¼ l heißem Wasser überbrühen und 10 Minuten ziehen lassen, durch ein Sieb geben und so heiß wie möglich trinken. Da dieser Tee etwas bitter schmeckt, sollte man auf einen Löffel Honig nicht verzichten.

Erfrischungs- und Durstlöschertee

1 Teil Hagebutten
1 Teil Holunderblüten
1 Teil Pfefferminze

1 TL der Mischung mit ¼ l heißem Wasser überbrühen und 10 Minuten ziehen lasen, durch ein Sieb geben. Kann mit Zitronensaft vermengt heiß, aber auch kalt getrunken werden.

Von der Kunst der Wickel und Kompressen

Die schnelle Hilfe aus der Hausapotheke

Am bekanntesten ist der Wadenwickel, den man häufig bei Kindern anwendet, um das Fieber zu senken. Aber in unserer Büro-Gesellschaft, in der man den ganzen Tag auf Schreibtischstühlen am Computer sitzt und ständig einen verspannten Nacken hat, tut auch abends eine warme Auflage auf die Wirbelsäule und die verspannten Muskeln gut. Und von meiner Großmutter kenne ich schon lange die Essig-Kompresse bei Insektenstichen.

Seit meine beiden Kinder auf der Welt sind, habe ich mich mit diesem Thema mehr beschäftigt. Es gibt nämlich noch viel mehr Anwendungsmöglichkeiten, die eine Verabreichung von pharmazeutischen Mitteln auch bei Erwachsenen oft überflüssig macht. Außerdem sind Zusätze wie Essig oder Quark preiswerter als teure Tabletten und Salben – wenn nicht direkt für Ihren Geldbeutel, dann doch für die Gemeinschaft der Krankenversicherten.

Bei unklaren oder häufig wiederkehrenden Symptomen ist jedoch ein Arztbesuch unvermeidlich.

Was sollte man immer im Haus haben, um Wickel und Kompressen anzuwenden?

Um für den Notfall gerüstet zu sein, sollte folgendes in Ihrer Hausapotheke vorhanden sein:

- Mullkompressen
- Mullbinden
- Elastische Binden
- Leinen-, Flanell-, Baumwoll- und Wolltücher
- Leukoplast
- Verbandklammern
- Eine Wärmflasche
- Eiswürfel, besser Eisbeutel oder -gel

Ständig vorrätig sollte in Ihrem Haushalt sein:

- Obstessig
- Hustenbalsam oder ätherische Öle
- Heilerde
- Bienenwachs

Wärme oder Kälte?

Man unterscheidet zwischen *warmen* und *kalten* Anwendungen.

Warme Umschläge dürfen auf keinen Fall bei akuten Entzündungen angewandt werden, da sie

- die Blutgefäße erweitern und
- die Durchblutung anregen;

Sie helfen hingegen bei:

- Krämpfen und
- Schmerzen und
- regen den Stoffwechsel an

Kalte Umschläge sollten auf keinen Fall länger als 10 Minuten auf den Körper wirken, da sie

- die Blutgefäße verengen und
- die Durchblutung vermindern;

außerdem wirken sie

- abschwellend
- stillen Blutungen
- hemmen Entzündungen
- entziehen Hitze (Fieber) und lindern Schmerz

Kalte Umschläge muss man entfernen oder erneuern, wenn sie sich aufwärmen. Ansonsten erweitern sich wieder die Blutgefäße und die Durchblutung wird angeregt, das heißt, das Fieber steigt wieder an.

Ob kalte oder warme Anwendungen, hängt also von den Symptomen ab, aber auch von Ihrem persönlichen Wohlempfinden. Wie kalt oder wie warm ein Wickel sein sollte, entscheiden Sie selbst! Gönnen Sie sich jedoch nach einer Anwendung mindestens eine Stunde Ruhe und Entspannung im Liegen, damit der Körper sich darauf konzentrieren kann, seine Selbstheilungskräfte zu aktivieren.

Anwendungen

Dampfkompresse:
- Rückenverspannungen
- Magen-Darm-Krämpfe
- Koliken

Ein Leinentuch mit heißem Wasser überbrühen. Mit einem Kochlöffel herausholen und auf ein ausgebreitetes Handtuch legen; einschlagen und gut auswringen. Das heiße Leinentuch in ein Flanelltuch einschlagen und auf die schmerzende Stelle legen. Mit einem Wolltuch abdecken. Die Kompresse entfernen, wenn Sie eine Abkühlung spüren.

Achtung! Nicht bei Entzündungen oder Herz-Kreislauf- und Nierenerkrankungen anwenden!

Eisbeutel:
- Blutergüsse
- Prellungen
- Quetschungen

Eiswürfel in ein Handtuch einschlagen und mit einem Hammer zu Brucheis schlagen. Das Brucheis in einen Plastikbeutel füllen, mit einem kleinen Handtuch umwickeln und auf die zu behandelnde Stelle legen.

Achtung! Um Erfrierungen durch Eis zu verhindern, nie das Eis direkt auf die Haut geben, sondern immer auf eine Zwischenschicht oder ein eingeschlagenes Tuch!

Nasse Strümpfe:
- Beruhigung des vegetativen Nervensystems
- Schlafstörungen

Ein äußerst einfaches, aber sehr wirksames Mittel: Ein Paar Baumwollstrümpfe in kaltes Wasser legen, auswringen und anziehen. Ein weiteres Paar trockene Baumwollstrümpfe darüberziehen und die Strümpfe die Nacht über anbehalten.

Die Feuchtigkeit verengt die Blutgefäße. Wenn die Strümpfe trocknen, entsteht Wärme, die wiederum die Blutgefäße erweitert und die Durchblutung anregt. Das Nervensystem beruhigt sich und man schläft ruhig ein.

Kalte Wadenwickel: – zur Fiebersenkung

Zwei Leinentücher in eine Schüssel mit kaltem Wasser geben. Ein großes Handtuch als Wasserschutz über das Fußende des Bettes breiten. Die Tücher gut auswringen und von den Knöcheln bis zum Knie um die Waden wickeln. Darüber ein Baumwolltuch und ganz außen ein Wolltuch. Wiederholen sie den Vorgang zweimal, wenn die Leinentücher beginnen, warm zu werden.

Achtung!!! Voraussetzung für kalte Wadenwickel ist, dass der ganze Körper, einschließlich der Füße, fiebrig warm oder heiß ist! Nicht bei kalten Beinen und Füßen anwenden! Bei kleinen Kindern darf die Wassertemperatur nicht mehr als 5–10 °C unter der Körpertemperatur liegen, also keine Eiswickel machen.

Sinkt die Temperatur nicht oder steigt sie weiter, verständigen Sie unbedingt einen Arzt auf!!!

Bienenwachswickel: – Husten (reizstillend und schleimlösend)

Dieser Wickel ist eine Empfehlung meines Hausarztes und hat unserer ganzen Familie schon oft geholfen. Ist das Wachstuch erstmal gemacht, können Sie es bis zu zwölfmal verwenden.

Vorbereitung: Soviel Olivenöl in einen Kochtopf geben, bis der Boden bedeckt ist. Darauf die Wachsplatten geben und bei niedriger Temperatur schmelzen lassen. Dann gießen Sie das Wachs auf ein Moltontuch in Brustgröße oder tauchen das Tuch mit Hilfe von Wäscheklammern in den Wachstopf. Das gewachste Tuch auf eine Unterlage legen und das Wachs mit einem Teigschaber gleichmäßig über das gesamte Moltontuch verteilen. Überschüssiges Wachs an den Kanten festwerden lassen und dann entfernen.

Anwendung: Auf das Bienenwachstuch etwas Hustenbalsam oder ätherisches Öl geben. Dann das Tuch auf ein Wolltuch geben und das Bienenwachs mit einem Fön erwärmen, bis es ein wenig weich ist. Überprüfen, ob es nicht zu heiß ist, und dann das Wachstuch auf die nackte Brust legen und vorsichtig andrücken. Darüber ein Wolltuch fest um die Brust wickeln. Der Wickel kann die ganze Nacht angelassen werden. Bei hartnäckigem Husten sollte der Wickel nachts noch einmal warmgefönt werden.

Achtung!!! Bevor Sie den Bienenwachswickel auf die Haut legen, die Temperatur überprüfen!

Brustwickel: – Erkältung (Husten, Schnupfen, Heiserkeit)
– Chronische Bronchitis

Ein Baumwolltuch in heißes Wasser legen, gut auswringen und eng um den Oberkörper legen. Darüber ein Leinentuch und abschließend ein Wolltuch wickeln. Etwa 30 Minuten bzw. solange Sie den Wickel als wohltuend warm empfinden, umlassen.

Achtung!!! Nicht bei Fieber anwenden!

Essig-Kompresse: – Insektenstiche

Mischen Sie Obstessig und kaltes Wasser in einem Verhältnis von 1:1. Legen Sie eine Kompresse in das Essigwasser und drücken Sie diese leicht aus. Auf die Einstichstelle gelegt, lässt die Kompresse die Schwellung und den Juckreiz zurückgehen. Bei Bedarf können Sie den Vorgang mehrmals wiederholen.

Joghurt-Kompresse:
- Sonnenbrand
- Sonnenallergie

Milchprodukte wie Joghurt oder Buttermilch wirken kühlend, schmerzlindernd und beruhigend auf die Haut.

Einen Leinenlappen dünn mit Joghurt bestreichen. Dann diesen auf die betroffene Hautpartie legen. Wenn die kühlende Wirkung nachlässt, die Kompresse erneuern.

Kartoffel-Wickel:
- Nacken- und Rückenschmerzen
- Harnwegserkrankungen
- Erkältungen
- Bronchitis

Die Kartoffel ist ein Wärmespeicher, der die Hitze langsam abgibt. Sie wirkt schmerzlindernd und entgiftet den Körper.

6 kleine ungeschälte Kartoffeln weichkochen, gut abtropfen lassen und in ein trockenes Leinentuch geben. Das Tuch einschlagen und die Packung mit Klebeband zukleben. Zerdrücken sie die Kartoffeln in dem Leinentuch vorsichtig. Auf die schmerzende Körperstelle legen und mit einem Wolltuch umwickeln. Den Wickel entfernen, wenn er nicht mehr warm ist.

Achtung!!! Vor dem Auflegen auf den Körper prüfen, ob der Wickel nicht zu heiß ist!

Kohl-Wickel:
- Gicht oder Rheuma
- Gelenkschmerzen
- Ausschlag
- Verbrennungen
- Halsschmerzen
- Bronchitis

Auch verschiedene Kohlsorten wie Weiß- oder Wirsingkohl entgiften den Körper und haben eine reinigende Wirkung.

Die Außenblätter bis auf die inneren, jungen Blätter des Kohls entfernen und die dicken Rippen herausschneiden. Mit einem Nudelholz oder eine Flasche die Blätter so lange bearbeiten, bis der Saft aus Ihnen herausläuft. Die ausgerollten Kohlblätter übereinanderlappend auf die schmerzenden Stellen legen und darum zuerst ein Baumwoll-, dann ein Wolltuch wickeln. Mindestens eine Stunde lang, am besten über Nacht den Wickel am Körper lassen. Wenn sich die Blätter nach einiger Zeit braun verfärben, erneuern Sie den Wickel. Danach die Haut warm abwaschen.

Achtung!!! Den Kohl nur ein- bis zweimal täglich einsetzen!

Leinsamen-Kompresse:
- Furunkel
- Gerstenkörner
- Stirn- und Nebenhöhlenentzündungen

Leinsamen beschleunigt die ersehnte Reifung von Pickeln, Furunkeln oder Gerstenkörnern und lindert Schnupfen sowie Entzündungen der Stirn- und Nebenhöhle.

200 g geschroteter Leinsamen wird mit 600 ml Wasser verrührt und in 5–10 Minuten zu einem dicken Brei gekocht.

Einen Teil der Masse 1–2 cm dick auf die Mitte eines Leinentuches auftragen und die Ränder zur Mitte hin einschlagen. Die Kompresse auf die schmerzende Stelle geben und mit einer leichten Wärmflasche abdecken. Etwa 20 Minuten auf dem Körper liegen lassen. Wenn die Kompresse abkühlt, ersetzen Sie diese durch eine neue.

Achtung!!! Auch bei dieser Kompresse unbedingt vor dem Auflegen die Temperatur prüfen!

Meerrettich-Kompresse:
- Kopfschmerzen
- Blasenentzündung
- Stirn- und Nasennebenhöhlenentzündung

Einen frischen Meerrettich reiben und fingerdick auf die Mitte eines Baumwolltuches legen. Die Tuchränder einschlagen und mit Klebeband befestigen. Die Kompresse auf die entsprechende Körperstelle legen. Meerrettich hat eine stark hautreizende Wirkung, daher die Kompresse am Anfang nicht länger als 5 Minuten liegen lassen. Zur Beruhigung die Haut abschließend mit kaltgepresstem Olivenöl einreiben. Wer es verträgt, kann die Behandlung wiederholen, wenn die Hautreizung abgeklungen ist und langsam auf 10 Minuten erhöhen.

Achtung!!! Bei Kindern sollte man diese Kompresse nicht anwenden!

Quark-Wickel:
- Bronchitis
- Gelenkentzündungen
- Sehnenscheidenentzündung
- Prellungen

Quark ist ein wahres Wundermittel: Er wirkt entzündungshemmend, kühlend, abschwellend, schmerzlindernd und zudem entgiftend, krampf- und schleimlösend.

Je nach Größe der betreffenden Stelle zwischen 200 und 500 g Magerquark mit lauwarmer Milch verrühren. Die Mischung fingerdick auf die schmerzende Stelle streichen, ein Leinentuch darüberbreiten und mit einem Baumwolltuch umwickeln. Den Quarkwickel mindestens eine halbe Stunde auf dem Körper belassen.

Pflanzendüfte neu entdeckt

Aromatherapie pflegt, entspannt, belebt und heilt

Unser Geruchssinn wird täglich stark beansprucht. Überall sind wir von Düften umgeben; die einen stoßen uns ab, andere empfinden wir als wohltuend.

Die Aromatherapie stimmt die natürlichen Düfte von Heilpflanzen mit unseren individuellen Bedürfnissen ab. Lange bevor der Mensch denken konnte, war sein Geruchssinn schon voll entwickelt. Später benutzte er ihn bewusst, um die heilenden Kräfte der ätherischen Öle für sein körperliches und seelisches Wohlergehen einzusetzen. In den Zeiten der fortschreitenden Industrialisierung ging dieses Wissen fast verloren. Seit ein paar Jahren gibt es eine Rückbesinnung auf die Natur, auf gesunde Ernährung und auf alte Heilmethoden. Auch die Aromatherapie erfreut sich in diesem Zusammenhang wieder einer größeren Beliebtheit.

Die moderne Wissenschaft hat die pflanzlichen Duftstoffe genau untersucht und ihnen das Mystische genommen, indem sie die sinnvolle Anwendung der ätherischen Öle für Körper und Geist beschreibt. Jede Essenz hat ihre eigene heilsame Wirkung auf bestimmte Teile des Körpers, des Geistes und der Seele. Ätherische Öle sind deshalb aus den meisten Haushalten nicht mehr wegzudenken. Sie fördern die Heil- und Abwehrkräfte auf natürliche Weise und haben eine aufbauende und stärkende Wirkung. Ätherische Öle wirken schnell; sie kräftigen und beleben. Ihre Wirkung hängt von verschiedenen Komponenten wie Herkunft, Gewinnungsmethode und Lagerbedingungen ab. Wenn Sie sich also Öle oder Essenzen kaufen, sparen Sie nicht, sondern nehmen besser ein Qualitätsprodukt. Ihr Körper wird es Ihnen mit Zufriedenheit und Wohlempfinden danken.

Anwendungsmethoden und Dosierung

Welche Essenzen Ihnen gut tun, welche Düfte Sie mögen und wie Sie diese aufnehmen möchten, bleibt ganz Ihnen überlassen. Die gängigsten Methoden sind die folgenden:

Duftlampe

Je nach Geschmack und gewünschter Intensität 5–15 Tropfen ätherisches Öl in die mit lauwarmem Wasser gefüllte Schale geben und darunter ein Teelicht anzünden.

Aromastein:
Ideal für das Beduften kleinerer Räume und für Kinderzimmer, da keine Kerze benötigt wird. 5–10 Tropfen auf den Stein geben.

Inhalieren:
1–2 Tropfen in heißes Wasser geben und unter einem Handtuch tief durch die Nase einatmen. Reinigt die Gesichtshaut und die Atemwege.

Kompresse:
3–5 Tropfen in eine Lösung aus Milch und etwas Speiseöl geben, mit ein wenig Wasser mischen, eine Kompresse damit benetzen und auf die schmerzende Körperstelle legen.

Badezusatz:
Zur Entspannung oder Belebung 5–6 Tropfen in mit etwas Milch gelöstes Öl geben und dem Badewasser zufügen.

Ätherische Öle und Essenzen

Ätherisches Öl	*Wirkung*	*Anwendung*
Bergamotte	– Stimmungsaufhellend – Geistig und körperlich aufheiternd – Emotionale Schwankungen	– Stress – Schlaflosigkeit
Eisenkraut	– bringt Energie und Dynamik zurück – fördert die Konzentration – Apathie	– Müdigkeit – Lustlosigkeit
Eukalyptus	– erfrischend – unterstützt die Atmung bei Erkältungen – guter Luftreiniger	– Grippe – Fieber – Migräne – Herpes
Fenchel, süß	– krampflösend – nerven- und magenstärkend – menstruationsfördernd – zur Unterstützung bei Entschlackungskuren Blähungen	– Verstopfungen – Stress – Prämenstruelles Syndrom

Fichtennadel	– desodorierend – atmungsunterstützend	– Muskelverspannungen – Sportverletzungen – für Saunaaufgüsse
Geranium	– beruhigend und gleichzeitig aufhellend	– nervliche und emotionale Überbeanspruchung – zur Hautpflege – senkt Ozongehalt in der Luft
Grapefruit	– weckt die Lebensgeister – erfrischt	– seelische Schwankungen – Lustlosigkeit – zur Körper- und Hautpflege
Krauseminze	– kühlt – erfrischt – konzentrationsfördernd	– Mundgeruch – Schwindel – Schwächeanfälle – Unkonzentriertheit
Latschenkiefer	– atmungsfördernd – erfrischend	– Müdigkeit – Erschöpfung – Muskelverspannungen – Sportverletzungen – Für Saunaaufgüsse
Lavendel	– beruhigend – kühlt – pflegt – Luftverbesserer	– Schlafprobleme – Unruhe – Verspannung – Sonnenbrand – Hautpflege – Insektenstiche und -abwehr
Lemongras	– verbreitet Energie und Stärke – entwässernd und klärend	– Konzentrationsschwäche – schwankende Gefühle
Mandarine, rote	– ausgleichend – beruhigend – appetitanregend	– Ängste und Trauer – Zur Haupflege – Als Kinderöl geeignet

Muskatellersalbei	– krampflösend – stimuliert die Kreativität	– Melancholie – Unausgeglichenheit – Prämenstruelles Syndrom – besonders für Frauen geeignet
Myrthe	– unterstützt die Atmung – beruhigt	– Hautpflege – Inhalationen – Raumluftreinigung
Nelke	– stark antiseptisch – krampflösend – schmerzstillend	– Zahnschmerzen – Durchfall – Warzen – Insektenabwehr – Desinfektionsmittel
Niaouli	– schleimlösend – atmungsvertiefend – erfrischend	– Grippe – Husten – Erkältung – Zum Inhalieren – Ideal für Kinder
Patchouli	– fördert die Sinnlichkeit – hautpflegend	– Unruhe – Emotionale Schwankungen – Zur Pflege der trockenen und reiferen Haut
Pfefferminze	– erfrischend – atmungsverstärkend – verdauungsfördernd	– Kopfschmerzen – Zur Unterstützung der Atmungs- und Ausscheidungsorgane – Insektenabwehr
Rosenholz	– Beruhigend – Energiebringend – Hautpflegend	– Unruhe und Anspannung – Schwangerschaftsstreifen
Rosmarin	– Stark belebend und – Entkrampfend (vorsichtig dosieren)	– Schwächezuständen – Muskelverkrampfungen

Salbei	– Anregend – Kräftigend	– Schweißausbrüche – Insektenstiche – Schwindel
Sandelholz	– Beruhigend – Stabilisierend – Schleimlösend	– Nervosität – Zur Haut- und Narbenpflege – Guter Luftverbesserer
Teebaum	– Kühlend – Desinfizierend – Schmerzstillend – Belebend – Hautpflegend	– Kopfschmerz – Konzentrationsschwäche – Insektenstiche – Ungeziefer – Zum Inhalieren
Thymian	– Aufbauend – Abwehrstärkend – Wärmend	– Körperschwäche und Energielosgkeit nach einer Krankheit
Wacholderbeeren	– Kräftebelebend – Ausgleichend – Entschlackend – Hautpflegend	– Unruhe – Unsicherheit – Melancholie – Ausfluss – Meditationsöl
Ylang Ylang	– Ausgleichend – Lösend – Körperpflegend – Entspannend	– Schlafstörungen – Unsicherheit – Prämenstruelles Syndrom – Emotionale Verspannungen
Zedernholz	– Ausgleichend – haut- und haarpflegend	– Nervosität – Trockene Haut – Insektenabwehr
Zimtblätter	– fördert die Kreativität – spannungslösend – wärmend	– Gefühlskälte – Isolation

Zitrone	– stärkt das Bindegewebe – hautpflegend – desinfizierend – belebend – erfrischend	– Konzentrationsschwäche – Cellulitis – Guter Luftreiniger
Zitronenmelisse	– belebt die Sinne – erfrischend	– Konzentrationsschwäche – Guter Luftverbesserer
Zypresse	– Reinigend – reguliert den Wärmehaushalt des Körpers	– Schweißausbrüche

Gesundheits-Highlights aus dem »Aldidente-Schnäppchenplaner« von Hagen Rudolph

Für Preise und Informationen wurden Unterlagen aus 1999 und 2000 herangezogen. Preise in DM. Aufgrund diverser Unwägbarkeiten kann sich der Termin um plus/minus ein bis zwei Wochen verschieben.

Aktiv-Gel, 150-ml-Tube

in der Sortierung: Roßkastanie, Arnica oder Latschenkiefer.

Aldi-Nord:	Woche 5	2,99
Aldi-Süd:	Woche 4	3,98

Apfelessig, 0,75-l-Flasche

Aus 100% Saft vollreifer Äpfel.

Aldi-Nord:	Woche 7	0,99
Aldi-Süd:	Woche 8	0,99

Drahtlose Herzfrequenzuhr

Herzfrequenzuhr: Drahtlose Übertragung der Herzfrequenz und zahlreiche weitere Funktionen; Brustgurt mit Sendeeinheit; Uhr mit integrierter Empfangseinheit; Fahrradmontage-Set; Deutsche Funkzulassung; inkl. Batterien; 24 Monate Garantie.

Aldi-Nord:	Woche 25	45,98
Aldi-Süd:	Woche 28	45,90

Duftöl-Lampe

Dekorative Duftöl-Lampe mit abnehmbarer Glasschale, Gestänge aus Metall mit Sonne-, Mond- oder Stern-Motiv, in den Farben Schwarz, Blau oder Grün, goldfarbig schattiert (Süd: aufwendiger gestaltet).

Aldi-Nord:	Woche 43	2,99
Aldi-Süd:	Woche 47	7,98

Erkältungsbalsam, 50-g-Tiegel

Aldi-Nord:	Woche 2	3,99
Aldi-Süd:	Woche 2	4,98

Fuß-Gel oder Fuß-Balsam, 150-ml-Tube

Fuß-Gel, erfrischend und kühlend, oder Fuß-Balsam, pflegend.

Aldi-Nord:	Woche 23	1,99
Aldi-Süd:	Woche 24	2,59

Galle-Dragee mit Artischocke, 60-Dragee-Packung

Wirkstoff: Trockenextrakt aus Artischocken-Blättern.

Aldi-Nord:	Woche 19	7,98
Aldi-Süd:	Woche 5	7,98

Heizkissen (Nord)/ Universal Rücken-Nacken Heizkissen (Süd)
3 Schaltstufen mit max. 55 Watt Leistung, 2 Thermostate, doppelt schutzisoliert, Größe ca. 25 x 50 cm, mit pflegeleichtem, strapazierfähigen und abnehmbaren Molton-Bezug, Zuleitung ca. 2 Meter, 12 Monate Garantie.

Aldi-Nord: Woche 48	22,98
Aldi-Süd: Woche 51	22,90

Kälte- oder Wärmekompressen, 2er-Set
Rote Kompresse zur Wärmebehandlung, blaue Kompresse zur Kältebehandlung, mit Stoffhülle aus reiner Baumwolle. Süd: unterschiedliche Sets.

Aldi-Nord:	Woche 23	3,99
Aldi-Süd:	Woche 9/35	4,59

Kamillen-Konzentrat, 100-ml-Flasche

Aldi-Nord:	Woche 17	6,98
Aldi-Süd:	Woche 24	5,98

Kräutertee
Verschiedene Kräutertees, aromatisiert, 15 Beutel pro Packung.

Aldi-Nord:	Woche 8	1,29
Aldi-Süd:	Woche 6	1,59

Medizinisches Bade-Konzentrat, 250 ml
Erkältungs-Linderungsbad, Rheuma-Aktivbad N, Kreislauf-Aktivbad oder Ruhe-/Entspannungsbad N.

Aldi-Nord:	Woche 7	3,49
Aldi-Süd:	Woche 2	3,98

Melkfett, 250-ml-Dose
mit Ringelblume oder Vitamin E.

Aldi-Nord:	Woche 26	1,99
Aldi-Süd:	Woche 4/29	1,99

Original Badesalz aus dem Toten Meer, 1,5-kg-Packung
Feinkörniges, kristallines weißes Granulatsalz in 3 Beuteln je 500 g.

Aldi-Nord:	Woche 20	3,59
Aldi-Süd:	Woche 7/35	3,59

Rheumasalbe, 100-ml-Tube

Aldi-Nord:	Woche 14	6,98
Aldi-Süd:	Woche 4	5,98

Spezial-Sonnenschutz für Kinder oder Sensitiv, 250-ml-Flasche
Sonnenmilch für Kinder, Lichtschutzfaktor 30 oder Sonnenbalsam Sensitiv, Lichtschutzfaktor 16.

Aldi-Nord:	Woche 19	9,98
Aldi-Süd:	Woche 20	9,98

Teebaumöl, 30-ml-Flasche

100 % reines Teebaumöl.

Aldi-Nord:	Woche 28	3,49
Aldi-Süd:	Woche 3/25	3,98

Uhren-Blutdruckmessgerät

Handgelenk-Messgerät mit computergesteuertem Luftablassventil, automatische Druckvorwahl und Endabschaltung, 64 Speicherplätze mit Datum und Uhrzeit, vorgeformte Schalenmanschette für einen Handgelenkumfang von ca. 13,5–22 cm, inkl. Batterien.

Aldi-Nord:	Woche 48	59,98
Aldi-Süd:	Woche 39	79,90

Venencreme, 100-g-Tube

Aldi-Nord:	Woche 25	4,99
Aldi-Süd:	Woche 4	5,98

Anhang

Obstkalender

	Jan.	Febr.	März	April	Mai	Juni	Juli	Aug.	Sept.	Okt.	Nov.	Dez.
Ananas									x	x	x	x
Äpfel	x	x	x						x	x	x	x
Aprikosen						x	x	x				
Avocados	x	x	x	x	x				x	x	x	x
Bananen	x	x	x	x	x	x	x	x	x	x	x	x
Birnen								x	x	x		
Brombeeren								x	x	x		
Erdbeeren					x	x	x	x	x			
Grapefruits	x	x	x	x	x	x	x	x	x	x	x	x
Heidelbeeren							x	x				
Himbeeren						x	x	x				
Johannisbeeren						x	x	x				
Kirschen, sauer							x	x	x			
Kirschen, süß						x	x	x				
Kiwis				x	x	x	x	x	x	x	x	x
Limetten	x	x	x	x	x			x	x	x	x	x
Mandarinen	x	x	x	x						x	x	x
Mangos						x	x	x	x	x		
Mirabellen								x	x			
Nektarinen					x	x	x	x	x			
Orangen	x	x	x	x	x	x				x	x	x
Papayas	x	x	x	x	x	x	x	x	x	x	x	x
Pfirsiche						x	x	x	x			
Pflaumen						x	x	x	x			
Preiselbeeren								x	x	x		
Quitten									x	x	x	
Renekloden								x				
Rhabarber				x	x	x						
Stachelbeeren						x	x	x				
Walderdbeeren					x	x	x	x				
Wassermelonen					x	x	x	x	x			
Weintrauben							x	x	x	x		
Zitronen	x	x	x	x	x	x	x	x	x	x	x	x
Zuckermelonen			x	x	x	x	x	x	x	x	x	x

Gemüsekalender

	Jan.	Febr.	März	April	Mai	Juni	Juli	Aug.	Sept.	Okt.	Nov.	Dez.
Artischocken	x	x	x	x	x					x	x	x
Auberginen					x	x	x	x				
Blumenkohl				x	x		x	x	x	x		
Bohnen							x	x	x	x		
Broccoli		x	x	x				x	x	x	x	
Chicorée	x	x								x	x	x
Chinakohl	x	x	x				x	x	x	x	x	x
Endivien				x	x	x						
Erbsen					x	x	x	x				
Feldsalat	x	x	x					x	x	x	x	x
Fenchel	x	x	x	x						x	x	x
Grünkohl	x	x	x							x	x	x
Gurken				x	x	x	x	x	x	x	x	
Knollensellerie	x	x	x	x					x	x	x	x
Kohlrabi				x	x	x	x	x	x	x		
Kopfsalat	x	x	x	x	x	x	x	x	x	x	x	x
Kürbis								x	x	x	x	
Lauch								x	x	x	x	x
Mais								x	x			
Möhren	x	x	x					x	x	x	x	x
Paprika					x	x	x	x	x	x		
Radieschen			x	x	x	x	x	x	x			
Rosenkohl	x	x	x	x						x	x	x
Rote Bete	x	x							x	x	x	x
Rotkohl	x	x	x				x	x	x	x	x	x
Schwarzwurzel	x	x	x							x	x	x
Spargel				x	x	x						
Spinat			x	x	x				x	x		
Staudensellerie	x	x	x		x	x	x	x	x	x	x	x
Tomaten					x	x	x	x	x	x	x	
Weißkohl	x	x	x				x	x	x	x	x	x
Wirsing	x	x	x			x	x	x	x	x	x	x
Zucchini					x	x	x	x	x			
Zwiebeln	x	x	x	x	x	x	x	x	x	x	x	

Wo kriegt man das?

Ungewohnte und aus der Mode gekommene Haushalts-Helfer und die bequemsten Bezugsquellen

Aceton: *Supermarkt, Drogerie, Apotheke*
Alaunpulver: *Drogerie, Apotheke*
Arnikatinktur: *Apotheke*
Borax: *Apotheke*
Chlorkalk: *Apotheke*
Eichenrindentee: *Drogerie, Apotheke*
Firnis: *Baumarkt, Farbenfachgeschäft*
Gallseife: *Supermarkt, Drogerie, Apotheke*
Glyzerin: *Apotheke*
Hasenfett: *Wildbret-Händler*
Hirschhornsalz: *Supermarkt, Drogerie, Apotheke*
Javelle-Wasser: *Drogerie*
Kali, übermangansaures: *Apotheke*
Kampferspiritus: *Apotheke*
Karbolsäure: *Drogerie*
Kleie: *Drogerie, Reformhaus*
Kreidefarbe: *Baumarkt, Farbenfachgeschäft*
Lanolinsalbe: *Apotheke*
Leinölfirnis: *Baumarkt, Farbenfachgeschäft*
Natron: *Supermarkt (Backwaren), Drogerie*
Paraffin: *Apotheke, Baumarkt*
Petroleum: *Supermarkt, Baumarkt*
Pfeifenerde: *Drogerie*
Pottasche: *Apotheke*
Salmiak (-geist): *Drogerie*
Schmierseife: *Drogerie, Apotheke*
Seifenspiritus: *Apotheke*
Soda: *Drogerie*
Spiritus: *Supermarkt, Drogerie, Apotheke*
Talkumpuder: *Drogerie, Apotheke*
Terpentin: *Supermarkt, Baumarkt, Drogerie*
Vaseline: *Supermarkt, Baumarkt, Drogerie, Apotheke*
Waschbenzin: *Supermarkt, Baumarkt, Drogerie, Apotheke*
Wasserstoffperoxyd: *Apotheke*
Zitronensäure: *Apotheke*

Register

Fett gedruckte Einträge beziehen sich auf Kapitelüberschriften.